Nueva edición

Español Lengua Extranjera

Entorno empresarial

Nivel
B2

Marisa de Prada
Montserrat Bovet
Pilar Marcé

edelsa
GRUPO DIDASCALIA, S.A.

SECCIONES FINALES

ANEXOS

FUNCIONES

- ■ Confirmar una información (I).

- ■ Introducir una explicación.

- ■ Indicar la repetición de un hecho.

- ■ Indicar una dificultad.

GRAMÁTICA

- ■ Verbos de cambio: *ponerse, volverse, hacerse, quedarse.*

- ■ Usos de *ser* y *estar.*

Nivel B2

LÉXICO

- ■ Montar una empresa.

- ■ Tipos de empresas.

- ■ Organigrama.

- ■ Cargos directivos.

ES NOTICIA

- ■ Grupo Inditex.

Conceptos del tema

- Según usted, ¿a qué nos referimos cuando hablamos de *empresa*?

- ¿Cuáles de los siguientes términos podrían aparecer en la definición de *empresa*? Añada alguno más.

  beneficios, bienes, servicios, expansión, tareas, productos, campañas

- De las siguientes definiciones, ¿cuál cree que se ajusta mejor al concepto de *empresa*?

  Argumente su respuesta.

«*Organización social que utiliza una gran variedad de recursos para alcanzar determinados objetivos*».

Idalberto Chiavenato

«*Sociedad mercantil dedicada a la producción, comercialización, suministro o explotación de bienes y servicios con el fin de obtener un beneficio. La existencia de un beneficio es esencial para la empresa*».

Diccionario empresarial Stanford

«*Sistema dentro del cual una persona o grupo de personas desarrollan un conjunto de actividades encaminadas a la producción y/o distribución de bienes y/o servicios, enmarcados en un objeto social determinado*».

Zoilo Pallares, Diego Romero y Manuel Herrera

«*Unidad de organización dedicada a actividades industriales, mercantiles o de prestación de servicios con fines lucrativos*».

DRAE

VOCABULARIO

1 Montar un negocio

Defina los siguientes términos y complete las frases. En algunos casos puede ir en plural.

1. Miller España, con sede en Madrid, tiene ya una oficina en Barcelona desde la que Román Rius, ..., aconseja a las pymes catalanas.

2. El grupo financiero Froma es uno de los primeros de Europa en operaciones financieras, tales como la salida a .... y la búsqueda de ....

3. Jirsa S. L. ha sido declarada en .... por no poder hacer frente a las deudas adquiridas.

4. Las empresas que conforman esta .... obtuvieron unos ingresos de más de 450 millones de euros.

5. Debido a que el .... inicial para montar el negocio no fue el adecuado, ahora deberán buscar otros socios financieros.

6. La importancia concedida a la .... por la empresa española Vilar hace que el 60 % de su producción se envíe a muchos países de la Unión Europea.

7. Desearíamos .... aquí en Chile dedicado a la confección de camisas a medida.

- capital social
- asesor de empresas
- sociedad mercantil
- exportación ● Bolsa
- quiebra ● socio
- montar un negocio

2 Definiciones

Relacione cada definición con la palabra adecuada.

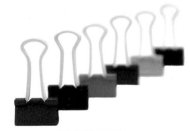

a. Partes proporcionales del capital de una sociedad mercantil.

b. Grupo directivo de una sociedad empresarial que dirige su marcha supervisando y guiando la actuación de la dirección.

c. Conjunto de bienes y servicios procedentes del exterior que entran definitivamente en el territorio económico de un país.

d. Ingreso público creado por ley y de cumplimiento obligatorio por parte de los sujetos pasivos contemplados por la misma.

e. Órgano soberano de una sociedad anónima, donde se toman las decisiones más relevantes. Puede ser ordinaria o extraordinaria.

f. Conjunto de bienes y derechos pertenecientes a una persona una vez deducidas sus deudas y obligaciones.

g. Cada una de las partes en las que se divide el capital de una sociedad de responsabilidad limitada.

h. Valor de las propiedades de una persona o empresa.

1. impuesto
2. acción
3. consejo de administración
4. junta general de accionistas
5. importación
6. capital
7. patrimonio
8. participación

a.	b.	c.	d.	e.	f.	g.	h.

Manuel Arias y Bruno Bertuzzi quieren implantar una empresa en España y deciden consultar a María Reyes, asesora de empresas.

3 Implantar una empresa en España

Lea el diálogo siguiente y complételo con las palabras de los ejercicios 1 y 2.

"Sra. Reyes: Buenos días, siéntense, por favor. Ustedes dirán.

Sr. Arias: Verá usted, nuestra idea es (1) .... de importación-exportación en España. Sabemos que hay varias formas de organizar el (2) .... y la responsabilidad de los (3) ...., pero no entendemos bien la diferencia que existe entre las distintas (4) .... ¿Podría usted explicarnos qué es una sociedad anónima (S. A.) exactamente?

Sra. Reyes: Por supuesto. Miren ustedes, la característica fundamental de una S. A. es que el (5) .... se divide en (6) .... que, con frecuencia, cotizan en (7) .... Si la sociedad se declara en (8) ...., los socios no responden con su (9) .... personal. La empresa está dirigida por un (10) .... que es nombrado o ratificado por la (11) ....

Sr. Arias: Ya veo, sí… pero en la sociedad de responsabilidad limitada (S. R. L.) los socios tampoco son responsables, ¿no?

Sra. Reyes: No exactamente. Vamos a ver, en la S. R. L. sí son responsables, pero esta responsabilidad depende de la aportación de capital de cada socio. El capital está dividido en (12) .... iguales, acumulables e indivisibles.

Sr. Bertuzzi: Ya… Pero además hay otros tipos de sociedades, ¿no es así?

Sra. Reyes: Sí. Están la sociedad comanditaria y la cooperativa. En la comanditaria existen dos tipos de socios: los colectivos, con responsabilidad ilimitada personal, y los comanditarios, cuya responsabilidad se limita a los fondos que aporten.

Sr. Bertuzzi: Y… en nuestra situación, ¿sería aconsejable una sociedad cooperativa? Se pagan menos (13) ...., ¿no es verdad?

Sra. Reyes: Me temo que, en su caso, es un poco difícil, puesto que se trata de una empresa cuya actividad es la (14) .... y la característica fundamental de las sociedades cooperativas es que realizan cualquier actividad económico-social para la mutua y equitativa ayuda entre sus miembros.

Sr. Arias: En fin, con todos los datos que nos ha dado, estudiaremos cuál es la mejor opción. Muchas gracias por su ayuda, señora Reyes. Seguiremos en contacto. "

4 Comprobar

Escuche ahora el diálogo y compruebe si lo ha completado correctamente.

PISTA 1

recursos

1 Tome la palabra

Clasifique las siguientes locuciones que aparecen en el diálogo anterior según su función.

mire usted ● ¿no es así? ● con frecuencia ● vamos a ver ● ¿no? ● me temo que ● verá usted ● por supuesto ● sí

Introducir una explicación	Indicar la repetición de un hecho	Indicar una dificultad	Confirmar una información

2 Más funciones

¿Podría clasificar estas otras locuciones en la tabla anterior?

Sin duda   Repetidas veces   Claro   Desde luego

Es prácticamente imposible   Lo veo difícil

Le explico   Así es   A menudo   ¿Cierto?

3 Ahora usted

Elija la opción correcta.

1

A: Estoy convencido de que será lo mejor para la empresa.

B: Yo no estoy tan segura. .... habrá que consultar a otros proveedores.

 a) Siempre   b) Raramente   c) Me temo que

2

A: Perdone, ¿podría hablar con usted?

B: ...., pase, pase.

 a) Luego   b) Desde luego   c) Hasta luego

3

A: .... usted, pensamos montar nuestra propia empresa. ¿Estaría dispuesto a trabajar con nosotros?

B: En principio, sí, pero habría que aclarar varios temas.

 a) Mire   b) Oye   c) Perdone

4

A: ¿Asistes .... a las reuniones del comité de empresa?

B: No mucho.

 a) únicamente   b) a menudo   c) lentamente

4 En contexto

Lea las frases siguientes y complete el diálogo.

- … no hay que ponerse tan…
- … se vuelve más conservadora…
- … vuestra empresa se estaba haciendo…
- … quedarse paralizado…
- … nos hemos vuelto muy indecisos…
- … ponerse nervioso.

Eduardo comenta los problemas de su empresa a su amigo Manuel.

"Manuel: Bueno, ¿y qué tal va todo, Eduardo? La última vez que nos vimos, (1) .... muy populares.

Eduardo: Es cierto, Manuel, pero cuando pusimos en marcha la empresa, la situación general era muy distinta a la actual.

Manuel: Tienes razón, debido a la crisis, la gente (2) .... a la hora de gastar.

Eduardo: Me temo que dentro de poco tendremos que cerrar de manera definitiva.

Manuel: ¡Bueno, (3) .... pesimista! Estoy seguro de que podréis encontrar alguna fuente de financiación para continuar hasta que la economía mejore.

Eduardo: Ya lo hemos intentado.

Manuel: Pues deberéis insistir para encontrar nuevos inversores que os ayuden, pero es esencial mantener la calma y no (4) ....

Eduardo: Tienes razón, pero con esta situación, tanto mi socio como yo (5) .... a la hora de decidir sobre a quién acudir.

Manuel: Recuerda que para salir adelante es esencial no (6) .... ante las circunstancias difíciles.

Eduardo: ¡Exacto! Necesitamos volvernos más atrevidos y lanzarnos a conquistar nuevos mercados. "

Los verbos de cambio

Ponerse
Indica un cambio momentáneo en el estado de salud o de ánimo. Se usa con adjetivos, adverbios o complementos preposicionales, nunca con sustantivos.

Se puso nervioso. Se ha puesto enfermo.

Volverse
Indica un cambio permanente. Se usa con adjetivos que expresan cualidad, pero implica no voluntariedad en el cambio.

Se ha vuelto egoísta. Se volvió muy conservador.

Hacerse
Indica un cambio permanente, implica el esfuerzo, la voluntad, la participación activa del sujeto.

Antes era abogado, ahora se ha hecho juez. Se hizo millonario.

Quedarse
Expresa el estado en el que se encuentra una persona o un lugar tras un cambio. Indica el resultado de una situación.

Se quedó sin dinero. Se quedó viudo.

Gramática

1 Los verbos de cambio
Elija el verbo correcto.

1. –Ramón Miró *se ha vuelto/se ha puesto* una persona muy insensible y apática.

   –Estás en lo cierto.

2. –Me *he vuelto/he quedado* sin capital porque he invertido todo en mi nueva empresa.

   –Me lo imaginaba.

3. –Sonia *se ha quedado/se ha puesto* nerviosa al saber que el vuelo llegará con retraso.

   –No me extraña.

4. –Cada vez *nos estamos volviendo/nos estamos quedando* más paternalistas en esta empresa.

   –Es verdad, llevamos una dirección demasiado proteccionista.

5. –¡Imagínate! Eleonora hizo una carrera universitaria, luego un máster y finalmente *se quedó/se hizo* doctora en economía.

   –¡Vaya trayectoria académica!

2 *Ponerse, volverse, hacerse o quedarse*
Complete los diálogos con el verbo adecuado.

1. –¿Has visto a Lucas últimamente?

   –Sí, justamente lo vi ayer y lo encontré muy cambiado, me parece que .... más individualista, ¿no crees?

2. –¡Cómo ha cambiado el ambiente en la empresa!

   –Sí, es verdad, ahora todo es más relajado y es porque el director .... una persona más comprensiva y cercana.

3. –El cambio sufrido por Jaime Balcón se debe a que .... viudo hace dos meses.

   –Por eso lo he encontrado más delgado y veo que con frecuencia .... nervioso.

4. –Me han dicho que Rosa .... millonaria.

   –Sí, creo que el producto que inventó ha tenido mucho éxito en todo el mundo.

   –Siempre me ha parecido una mujer muy capaz y creativa.

5. –Mira, Luisa, no .... nerviosa por lo que te voy a decir.

   –Bueno, dime, ya .... histérica solo al verte con esa cara de preocupación.

   –Pues es que creo que en la empresa van a despedir a gente y nos puede afectar a nosotras.

   –Era de esperar.

3 Un verbo de cambio adecuado
Asocie cada adjetivo con *ponerse, volverse, hacerse o quedarse*.

rico ● famoso ● introvertido ● socio ● triste ● sorprendido ● solo ● empresario ● sordo
● enfermo ● autónomo

ser	estar
–definir, identificar y catalogar a personas, objetos o lugares: *Soy español, soy asesor y soy de Sevilla.* –expresar cualidades: *Soy trabajador.* –expresar posesión: *Es el puesto del Sr. López.* –localizar sucesos o acontecimientos: *La feria es en el recinto de Montjuic.*	–localizar y ubicar en el espacio y en el tiempo: *Está en la calle Albéniz. Estamos a lunes.* –expresar el estado físico o anímico. Se utiliza también con *bien, mal* y *regular*: *Estoy nervioso. No estoy bien.* –*estar + de* para hablar de un puesto transitorio: *Estoy de camarero los fines de semana.*

¡Ojo! Un mismo adjetivo se puede utilizar con *ser* y *estar* y tiene un significado diferente.
Ser malo. La persona no es buena.   *Estar malo.* La persona está enferma.

4 Verbo y forma

Elija *ser* o *estar* y escriba la forma correcta del verbo.

1. –¿Dónde se celebrará el *Encuentro de los emprendedores del año*?

   –Creo que este año .... en el edificio de congresos de la ciudad.

2. –No sabía que la central de Inditex se hallaba en Galicia.

   –Sí, sí, ... allí desde la fundación de la empresa.

3. –¿Los despachos de los directivos .... en este edificio?

   –No, aquí solo hay algunos departamentos de control de calidad.

4. –La fiesta de entrega de premios de mañana .... en la sala de actos de la universidad.

   –¡Ah! Yo creía que .... en los jardines del campus.

5. –El despacho del director .... en la séptima planta.

   –Sí, ya lo sé. Y el del director financiero .... aquí, en esta planta.

5 Ser o estar

a. Clasifique estos adjetivos en la tabla siguiente.

ambicioso, atrevido, capaz, capacitado, conveniente, preparado, responsable, útil, satisfecho, calculador, impulsivo, resolutivo, eficiente, ausente, contento, justo, comprobado, importante, resuelto, competente

ser	estar

b. ¿Con qué tres de los adjetivos anteriores definiría a un empresario, un jefe y un compañero ideal? Justifique su respuesta.

empresario	jefe	compañero

6 Cambio de significado

Relacione cada expresión con el significado adecuado.

1. Ser rico	a. Ser amable, servicial.
2. Ser despierto	b. Querer saber.
3. Ser listo	c. Tener mucho dinero.
4. Ser atento	d. Ser arrogante y soberbio.
5. Ser orgulloso	e. Ser inteligente.

1. Estar rico	a. Estar contento de algo o alguien.
2. Estar despierto	b. Prestar atención.
3. Estar listo	c. No estar dormido.
4. Estar atento	d. Estar preparado.
5. Estar orgulloso	e. Tener buen sabor (alimento).

Taller de...

De interés

La estructura funcional de la empresa guarda relación con los mercados con los que se relaciona. Está formada por cinco funciones básicas dependientes de la dirección general.

1 Organigrama de una empresa

Complete el organigrama con los siguientes cargos directivos.

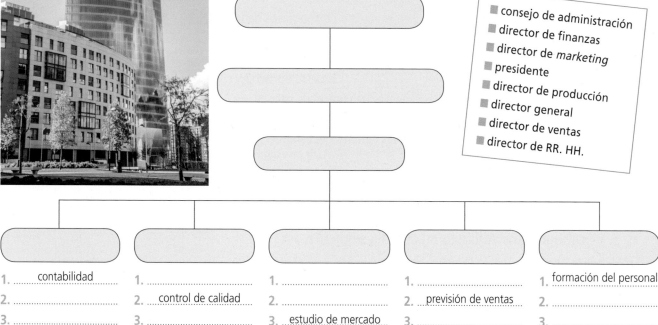

- consejo de administración
- director de finanzas
- director de *marketing*
- presidente
- director de producción
- director general
- director de ventas
- director de RR. HH.

1. ....contabilidad..........	1.	1.	1.	1. ....formación del personal....
2.	2. ....control de calidad....	2.	2. ....previsión de ventas....	2. ....
3.	3.	3. ....estudio de mercado....	3.	3. ....

2 Funciones de cada departamento

Complete el organigrama anterior.

estudio de la competencia

planificación comercial

organización de la red de ventas

cobros y pagos

contratación y despidos del personal

sistemas de remuneración del personal

relación con clientes y proveedores

elaboración y control de presupuestos

procesos de fabricación

control del almacén

3 Sectores y departamentos

Discuta con su compañero qué departamento tendría más importancia en los sectores siguientes.

En el sector inmobiliario sería el Departamento Comercial.

Sectores

1. Sector turístico
2. Sector farmacéutico
3. Sector alimentario
4. Sector textil

Departamentos

a) Departamento de I+D+i*
b) Departamento de *Marketing* y Publicidad
c) Departamento de Logística
d) Departamento de Envasado y Etiquetado

Investigación + Desarrollo + innovación

4 Los directivos

Explique, con sus propias palabras, qué cometido desempeña cada cargo directivo.
Después relaciónelo con su función.

1. Jefe de ventas	**5.** Director de producción
2. Director de personal	**6.** Director financiero
3. Director general	**7.** Analista-programador
4. Director de *marketing*	**8.** Jefe de producción

a) Coordina y supervisa el trabajo de los operarios.

b) Es el responsable máximo de los objetivos, políticas y programas de *marketing* y ventas.

c) Ejecutivo de primer nivel que dirige y supervisa las actividades de la empresa. Define los objetivos y las políticas generales.

d) Dirige y coordina los procesos productivos, desde la selección de proveedores, verificación de las materias primas, etc., hasta la entrega del producto final en las condiciones de calidad establecidas.

e) Supervisa al equipo comercial. Analiza los resultados y corrige las desviaciones. Colabora con el director de ventas para definir las estrategias y políticas en el área de ventas.

f) Dirige y supervisa el área de finanzas y administración. Prepara los planes de inversión y presupuestos.

h) Planifica y dirige las políticas de contratación y remuneración del personal. Es el responsable de los programas de higiene y seguridad en el trabajo, de las relaciones laborales y de los asuntos sociales.

g) Planifica e implementa soluciones de tecnología de información. Colabora en el diseño, construcción y mantenimiento de sistemas informáticos y proyectos de *software*.

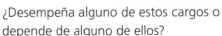

usted

¿Desempeña alguno de estos cargos o depende de alguno de ellos?
- En caso afirmativo, explique cuáles son sus responsabilidades.
- En caso negativo, ¿cuál le atrae más? ¿Qué ventajas e inconvenientes ve en ese cargo?

1 El Grupo INDITEX

Lea el siguiente artículo sobre Inditex y complete las frases.

Inditex es uno de los principales distribuidores de moda del mundo cuyos formatos comerciales incluyen, entre otros, Zara, Pull&Bear y Massimo Dutti.

Exuberante excepción

INDITEX es, probablemente, la historia de éxito empresarial más sorprendente de las últimas décadas en España. Una historia que nace en 1985 y que ha hecho de su fundador una de las mayores fortunas del mundo.

Irónicamente, el modelo de negocio que lo ha hecho posible desafía las tendencias de gestión dominantes: Inditex es una empresa centralizada, muy integrada verticalmente, con absoluto control de los procesos industriales, dueña de la mayoría de sus tiendas y que, cosa inaudita en el mundo de la moda, no hace publicidad de sus marcas.

El secreto del éxito de Inditex se llama «respuesta al mercado». Mientras una empresa de moda ordinaria necesita planificar sus colecciones con adelanto de un año, Zara es capaz de diseñar, producir y poner una nueva línea en sus tiendas en solo 30 días. Las tiendas se reponen dos veces por semana, se renuevan constantemente y, al mismo tiempo, envían información diaria a las oficinas centrales sobre lo que se demanda, con lo que continuamente se diseña, fabrica y distribuye lo que pide el mercado.

Zara diseña y fabrica más de 12 000 modelos diferentes de ropa al año, de los cuales produce la mínima cantidad posible. Con ello multiplica la posibilidad de elección y minimiza el impacto negativo derivado del fracaso de alguna línea concreta. Cuando una línea es un éxito, prácticamente desaparece en pocos días, lo que incita a la compra compulsiva.

Este modelo requiere fuertes inversiones en tecnología e infraestructura y soporta mayores costes de mano de obra para lograr un plus de control, flexibilidad y velocidad en todos los procesos. Pero funciona: los niveles de *stock* son mínimos y la cantidad de ropa liquidada en rebajas es inferior a la de la competencia. Los márgenes operativos de Inditex superan a los de la competencia y su crecimiento parece a prueba de crisis.

Inditex nos enseña que se puede alcanzar la excelencia yendo a la contra de la industria, siempre que seamos capaces de ejecutar nuestra estrategia con coherencia y brillantez.

Adaptado de *Nuevo Trabajo*

1. Su tipo de gestión es ....
2. Su publicidad es ....
3. El secreto de su éxito radica en ....
4. Sus productos son ....
5. Este modelo de empresa necesita ....

La clave del éxito

2 Inditex.com

Conteste las siguientes preguntas.

Entre ahora en www.inditex.com/es para conocer mejor esta empresa española.

1. ¿Qué apartados incluye el sitio web?
2. ¿Cuál es la primera información que aparece en pantalla?
3. En su opinión, ¿qué tipo de imagen corporativa se desea transmitir?

3 Datos de la compañía

Busque estas informaciones en www.inditex.com/es y complete la tabla.

	Respuesta
Razón social de la empresa:	
Año y lugar de fundación:	
Tipo de sociedad:	
Capital social:	
Mercado objetivo:	
Nº de establecimientos:	
Cifra de negocio actual:	
Beneficio neto:	
Número de empleados:	
¿Qué oportunidades profesionales ofrece?	

4 Las cadenas de Inditex

a. Escoja una de las cadenas y conteste las preguntas:

- ¿En qué año se funda?
- ¿Dónde está la sede central?
- ¿Cuántas tiendas tiene?
- ¿Qué productos comercializa y a qué público van dirigidos?
- ¿Cuál es, según usted, el secreto de su éxito?

b. Busque a un compañero que haya elegido otra cadena y comparen sus resultados.

INDITEX
ZARA
Stradivarius
PULL&BEAR
Massimo Dutti
oysho
Bershka
UTERQÜE
ZARA HOME

Acción oral

Usted es directivo de una de las cadenas del Grupo Inditex y le han invitado a dar una conferencia en un seminario dirigido a estudiantes universitarios.

Haga una presentación

- Dé una breve introducción con información sobre el Grupo Inditex, en general, y sobre una de las cadenas, en particular.

- Compare la cadena elegida (diferencias y semejanzas más destacadas) con otras del Grupo Inditex.

- Explique las ventajas que han hecho posible el éxito de la cadena dentro de este grupo empresarial.

- Abra un turno de preguntas para los asistentes.

RECURSOS

Comenzar la exposición: para comenzar, para empezar, empezaremos por, etc.

Dar ejemplos: como por ejemplo, como se puede ver en, como se dice en, etc.

Ordenar el discurso: por un lado/por otro, por una parte/por otra, en primer/segundo lugar, etc.

Comparar: igual de, tan... como, cuanto más/menos... (tanto) más/menos, es lo mismo que, a diferencia de, etc.

Conclusión y reflexión final: en resumen, para concluir, concluyendo, para terminar, etc.

Reunión para elaborar un plan de empresa

Grupos de trabajo

Usted y sus compañeros han decidido solicitar un crédito para poner en marcha una nueva empresa. Con el fin de obtener la financiación necesaria, el banco les solicita que presenten un plan de empresa. Deben discutir y ponerse de acuerdo sobre los siguientes aspectos:

1. IDEA

¿Cuál es la idea de negocio?

2. PROYECTO DE EMPRESA-PLAN DE VIABILIDAD

- Descripción del producto: necesidades que cubre. Ventajas que aporta sobre otros ya existentes.

- Definir el plan de producción: determinar los medios materiales y humanos que se necesitan para fabricar el producto o prestar el servicio.

- Análisis de mercado: sector elegido, clientes potenciales.

- Plan comercial: precio de venta del producto. Acciones de comunicación y promoción.

- Recursos Humanos: personal capacitado y adaptado a los puestos de la empresa.

- Diseño del plan de operaciones: ubicación temporal de todas las actividades necesarias. Personas responsables. Coste de ejecución.

- Plan económico-financiero: establecer la inversión necesaria calculando espacio y equipo necesarios. Estimar los ingresos probables. Determinar pérdidas y ganancias.

Presentación del plan de empresa

Prepárese para presentar el plan de empresa. En una votación posterior, la clase va a decidir cuál de los planes de empresa presentados será aprobado por el banco y recibirá la financiación.

Entrevista con

su opinión

¿Qué le parece a usted la compra de pequeñas y medianas empresas por parte de una multinacional o empresa extranjera?

El señor Elosúa, director general del grupo Elosúa, concedió una entrevista al periódico *El PAÍS*.

PISTA 2

PREGUNTA 1 ¿Podría decirnos cómo se llevó a cabo la adquisición de la empresa Carbonell?

Escuche la respuesta y resúmala con las siguientes palabras:

capital, sector, apoyar, crédito, adquisición

PREGUNTA 2 ¿Cómo dirigió Elosúa la operación?

a) Escuche la respuesta e indique qué motivos conducen al señor Elosúa a expresarse de forma tan satisfactoria.

b) Comente la siguiente frase dada en la respuesta.

«… la mejor operación que Elosúa ha hecho en su historia».

PREGUNTA 3 En alguna ocasión usted ha dicho que el aceite no era negocio y que había otras actividades más rentables, ¿significa que ha considerado la posibilidad de cambiar de actividad?

Escuche la respuesta a la tercera pregunta y señale si son verdaderas o falsas las siguientes afirmaciones.

	V	F
1. El aceite es el negocio más rentable del grupo.		
2. Con las legumbres se ha ganado más que con el aceite.		
3. Los fondos invertidos en aceite superan a los invertidos en legumbres.		
4. España puede tener futuro en productos como aceites, aceitunas y legumbres.		

PREGUNTA 4 ¿Cuál es la situación del grupo en política exterior?

Escuche la última respuesta y complete el texto con las palabras que faltan.

Nuestra (1) .... está relacionada con el (2) .... de los tres productos mencionados. Por un lado, tenemos (3) .... en México y Argentina que son para (4) .... el (5) .... local de producción, aunque también se realicen (6) .... En México ya somos la (7) .... y nuestras ventas han crecido un (8) ....

léxico

SUSTANTIVOS

acción, la ....

adquisición, la ....

análisis de mercado, el

actividad industrial, la

asesor/-a de empresas, el/la

beneficio, el ....

Bolsa, la ....

capital social, el ....

capital, el ....

cliente, el ....

consejo de administración, el

consultoría, la ....

control de calidad, el

coste de ejecución, el

crédito, el ....

departamento, el ....

dirección, la ....

distribución, la ....

estrategia, la ....

expansión, la ....

exportación, la ....

firma, la ....

fuente de financiación, la

fundador/-a, el/la ....

fundación, la ....

fusión, la ....

junta general de accionistas, la

importación, la ....

impuesto, el ....

materia prima, la ....

mercado de valores, el

participación, la ....

patrimonio, el ....

plan de empresa, el ....

plan de producción, el

prestación de servicios, la

producción, la ....

proveedor, el ....

quiebra, la ....

razón social, la ....

recurso, el ....

sector, el ....

sede, la ....

servicio, el ....

sociedad, la ....

–anónima

–comanditaria ....

–cooperativa ....

–de responsabilidad limitada

–en comandita ....

–mercantil ....

socio/a, el/la ....

VERBOS

acudir ....

alcanzar ....

apoyar ....

comercializar ....

conseguir ....

coordinar ....

crear ....

desarrollar ....

determinar ....

dirigir ....

diseñar ....

distribuir ....

estimar ....

fabricar ....

fundar ....

implantar ....

implementar ....

hacerse ....

lograr ....

llevar a cabo ....

montar ....

obtener ....

ponerse ....

planificar ....

quedarse ....

solicitar ....

supervisar ....

tomar ....

volverse ....

ADJETIVOS

atrevido/a ....

autónomo/a ....

calculador/-a ....

capaz ....

capacitado/a ....

centralizado/a ....

comercial ....

competente ....

decidido/a ....

empresarial ....

financiero/a ....

indeciso/a ....

impulsivo/a ....

mercantil ....

rentable ....

resolutivo/a ....

FUNCIONES

- Pedir aprobación o conformidad.

- Presentar un contraargumento.

- Expresar certeza.

- Introducir
  - una constatación.
  - una información o pregunta.
  - una afirmación de la que no se tiene seguridad.

- Oraciones consecutivas.

GRAMÁTICA

- Contraste de pasados
  - pretérito perfecto simple.
  - pretérito perfecto compuesto.
  - pretérito imperfecto.
  - pretérito pluscuamperfecto.

LÉXICO

- Entrevista de trabajo.
- CV.
- Anuncios de trabajo.

ES NOTICIA

- Grupo Eroski.

Nivel B2

Recursos Humanos 2

Conceptos del tema

● ¿Qué opina de la siguiente definición?

«En la gestión de organizaciones, se llama "Recursos Humanos" al conjunto de los empleados o colaboradores de esa organización».
¿Añadiría algo más?

● ¿Considera usted que las actividades que realiza el personal de una empresa pueden llevar al éxito o al fracaso de la compañía?
Justifique su respuesta.

● ¿Está de acuerdo con esta afirmación?

«Los recursos materiales hacen las cosas posibles, las personas las convierten en realidades».

Lea la siguiente información y subraye las «palabras clave» para hablar de la gestión de los Recursos Humanos.

| Noticias | Opinión | Temas | Clasificados | Servicios | Suscripción | Alta gratuita |

www.ibermatica.com

Hace menos de una década, alrededor de un 90 % de las organizaciones limitaba sus sistemas de información de Recursos Humanos (RR. HH.) al cálculo y elaboración de la nómina. Los RR. HH. eran considerados como un elemento más en la cadena productiva y, en consecuencia, únicamente se identificaba la necesidad de disponer de sistemas para cumplir con su gestión operativa necesaria y básica: el pago de la nómina y, en el mejor de los casos, la mecanización de los procedimientos de contratación y registro de personal.

Hoy, las nuevas tendencias empresariales sitúan a los profesionales de las empresas junto a los procesos, en el centro de los activos de la organización, como principal elemento de diferenciación en el mercado.

El nuevo enfoque que surge en la gestión de los Recursos Humanos –de la mano de las nuevas tendencias de gestión empresarial– exige sistemas que, además de ser soporte de la gestión operativa, permitan el desarrollo del talento, la especialización y la potenciación del conocimiento, la óptima organización de los profesionales, la motivación, la gestión de carreras profesionales, la evaluación del desempeño, etc.

Adaptado de *www.ibermatica.com*

VOCABULARIO

1 Contratar al personal

Defina los siguientes términos y complete las frases. En algunos casos puede ir en plural.

1. Durante la ...., el aspirante deberá ser coherente con lo que ha incluido en el currículum.

2. El derecho a las vacaciones se genera cualquiera que sea la duración del ....

3. La duración de las vacaciones se establece por pacto entre las partes (trabajador y empresario) o por ....

4. La empresa Lumar ha mejorado su productividad e impulsado su expansión hasta el punto de alcanzar una .... de 900 trabajadores.

5. La diferencia de .... entre licenciados y trabajadores no cualificados se está reduciendo drásticamente, según datos de la OCDE (Organización para la Cooperación y el Desarrollo Económico).

6. Según ha informado el Ministerio de Trabajo, durante el mes de junio 3 000 personas que se encontraban en paro han firmado ya un ....

7. Pusieron varios .... en algunos medios de comunicación, pero no mencionaron nada sobre la ....

8. Nuestro .... es de 8:00 h a 17:00 h, con una hora de descanso para comer.

- contrato - salario
- plantilla - entrevista
- remuneración
- convenio
- contrato indefinido
- horario laboral
- anuncio

2 Definiciones

Relacione cada definición con la palabra adecuada.

a. Salario que se percibe cada mes.

b. Sociedad en la que más del 50 % de su capital pertenece a otra sociedad o grupo de empresas.

c. Conjunto de percepciones económicas que los empleados reciben al año sin deducción.

d. Documento que la empresa entrega al trabajador cada mes en el que se refleja toda la información acerca del salario que percibe.

e. Persona que planifica y dirige las políticas y procedimientos de contratación y remuneración del personal.

f. Plan cuyo objetivo es el incremento y progreso de una actividad concreta.

g. Función o posición que ocupa una persona en una organización.

h. Remuneraciones extras que se perciben dos o tres veces al año.

i. Estudios cursados en una universidad.

j. Conjunto de empleados de una empresa o centro.

1. director de Recursos Humanos
2. carrera
3. filial
4. proyecto de desarrollo
5. nómina
6. personal
7. salario bruto anual
8. pagas extraordinarias
9. puesto
10. paga mensual

a.	b.	c.	d.	e.	f.	g.	h.	i.	j.

Margarita Sánchez, licenciada en Informática, tiene una entrevista personal con Manuel Esplugas, director de Recursos Humanos de Consultores A-X S. A.

3 Hacer una entrevista

Lea el diálogo siguiente y complételo con las palabras de los ejercicios 1 y 2.

❝Sr. Esplugas: Bien, señorita Sánchez. Como usted sabe, ha superado la primera fase del proceso de selección y ahora me gustaría hablar un poco más sobre sus motivaciones y aspiraciones. A primera vista, su preparación parece suficiente, sin embargo, no tiene demasiada experiencia en consultoría.

Srta. Sánchez: Efectivamente, pero también es cierto que mientras terminaba la (1) .... de Informática hice unas prácticas en una consultoría. Por otro lado, desde 2 008 hasta 2013 estuve como programadora en la (2) .... de IBM en Valencia y desde entonces, como puede ver en mi currículum, trabajo en un (3) .... El (4) .... hablaba de un (5) .... de ayudante de proyecto y por eso creo que mi perfil y formación encajan con lo que ustedes buscan.

Sr. Esplugas: Como sabe, Consultores A-X S. A.

es una pyme con una (6) .... bastante reducida. De nuestro (7) .... valoramos el entusiasmo y las nuevas ideas. Exactamente buscamos a una persona capaz de ayudar a dirigir y organizar el trabajo del Departamento de Informática. ¿Se ve usted desempeñando esta responsabilidad?

Srta. Sánchez: Bueno, mis responsabilidades actuales son parecidas, por lo cual estoy segura de que no tendré ninguna dificultad.

Sr. Esplugas: ¿Cuáles son sus aspiraciones económicas?

Srta. Sánchez: Pues, actualmente, mi (8) .... supera los 22 000 euros y considero que mi responsabilidad en Consultores A-X S. A. sería superior a la actual.

Sr. Esplugas: Ya veo. Nosotros le podemos ofrecer un (9) .... con seis meses de prueba. En cuanto a la (10) ...., hablaríamos de 27 000 euros. Pues, si está conforme con las condiciones, en el Departamento de Recursos Humanos le informarán de la documentación que tiene que aportar para formalizar el (11) ....

* * *

Sra. Díaz: Bien, señorita Sánchez, las condiciones son las siguientes: un contrato indefinido con seis meses de prueba. Un salario bruto anual de 27 000 euros dividido en catorce pagas: doce (12) .... y dos (13)............... en julio y en diciembre. El (14) .... es de 8:30 h a 14:00 h y de 15:00 h a 18:00 h, de lunes a jueves. Los viernes y los meses de julio y agosto tenemos jornada intensiva de 8:00 h a 15:00 h. Necesito su NIF y... ❞

4 Comprobar

 PISTA 3 Escuche ahora el diálogo y compruebe si lo ha completado correctamente.

De interés

La jornada intensiva también llamada *horario de verano* se establece en España en muchas empresas en julio y agosto, por el clima.

1 Tome la palabra

Defina los siguientes términos y complete las frases.

sin embargo ● como (usted) sabe ● a primera vista ● si está conforme ● es cierto que ● efectivamente ● por cierto ● estoy (totalmente) seguro ● pero también

Introducir una constatación	Pedir aprobación o conformidad	Introducir una información o pregunta	Presentar un contraargumento	Introducir una información de la que no se tiene seguridad	Expresar certeza

2 Más funciones

¿Podría clasificar estas otras locuciones en la tabla anterior?

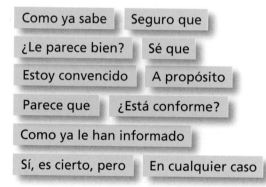

Como ya sabe   Seguro que

¿Le parece bien?   Sé que

Estoy convencido   A propósito

Parece que   ¿Está conforme?

Como ya le han informado

Sí, es cierto, pero   En cualquier caso

3 Contrarios

Marque la expresión contraria.

1. Como (usted) sabe…
   a) Como ya sabe… b) Ya que conoce… c) Aunque ignore eso…

2. A primera vista…
   a) Según se ve… b) Después de estudiar… c) Si vemos…

3. Estoy (totalmente) seguro…
   a) Estoy convencido… b) Dudo que… c) Le aseguro que…

4. Sí, es cierto.
   a) No, en absoluto. b) Sí, sin duda. c) Lo sé.

4 Ahora usted

Complete la siguiente carta con las locuciones de esta sección.

Sra. María José González
c/Fernando Poo, 21
28045 Madrid

AUDITORES Y CÍA.
c/Ezequiel González, 33
40001 Segovia

Segovia, 21 de enero de 2014

Estimada Sra. González:

Aunque, (1) ...., tiene usted un expediente académico inmejorable, (2) .... no podemos aceptar su candidatura, ya que nosotros no contratamos a personal sin experiencia. (3) ...., manejamos datos estrictamente confidenciales. Una vez ya tuvimos un problema a causa de la indiscreción de un empleado inexperto. (4) .... de que comprenderá que evitemos este tipo de problemas.

(5) ...., podemos volver a entrevistarnos más adelante. (6) .... Auditores y Cía. suele facilitar prácticas a recién titulados. Puede solicitarlas a partir de mayo.

Atentamente,

Miguel Rondel
Dpto. Recursos Humanos

5 La experiencia de un directivo

Lea las frases siguientes y complete el texto.

- … no era habitual…
- … de repente me surgió…
- Nunca había pensado…
- Estuve 6 años en Francia…
- … me ocupaba de Oriente Medio…
- … hasta ese momento había sido…

Antes de incorporarse a la empresa en la que trabaja actualmente, donde está al mando de 7 300 empleados en España y Portugal, Santiago Rodés era el presidente de otra importante firma. Aquí nos cuenta su experiencia: (1) «... en dos etapas muy diferenciadas. La primera en Marsella, donde ocupé mi primer cargo directivo en *marketing*. La segunda en París, donde llevaba una gama más amplia de productos en un área también más extensa, ya que desde París (2) .... y África. La primera etapa me proporcionó un aprendizaje más internacional, en una época en la que en España (3) .... trabajar en el extranjero. En la segunda, conocí una parte del mundo que (4) .... una gran desconocida, África y Oriente Medio y pude contactar con culturas absolutamente diferentes a la nuestra. (5) .... en cambiar, llevaba muchos años en la compañía anterior y casi estaba pensando en la jubilación, pero (6) .... esa oportunidad. Fue una ocasión de conocer nuevas actividades y nuevos mundos totalmente distintos».

Pretérito perfecto compuesto	Pretérito perfecto simple
Se usa para hablar de acciones terminadas dentro de un tiempo no terminado: *Desde entonces hemos mantenido una curva ascendente.*	Se usa para hablar de acciones terminadas dentro de un tiempo también terminado: *Trabajé como programadora desde 2010 hasta 2013.*

Pretérito imperfecto
–Se usa para describir situaciones en el pasado o para relatar hábitos en el pasado: *Durante aquellos años cada lunes nos reuníamos con el jefe del departamento.*   –Para expresar una acción en proceso: *Cuando programaba el nuevo videojuego, me encontré con muchas dificultades.*   –Para expresar una acción interrumpida por el contexto: *¿Qué te estaba contando?*   –Para expresar un pensamiento interrumpido: *Pensaba ir a verte (pero no pude).*

El pretérito pluscuamperfecto
–Se usa para expresar una acción pasada anterior a otra también pasada: *Cuando Marco fue a la feria, ya había visitado varios establecimientos.*   –Para narrar algo que se hace por primera vez justo en ese momento en el pasado: *Hasta entonces nunca había pensado en abrir una franquicia.*

Gramática

1 Una entrevista de trabajo
Lea estas preguntas y complételas con el tiempo adecuado del pasado.

1. ¿Cómo nos (conocer) .... usted?
2. ¿Qué le (llevar) .... a solicitar este puesto en nuestra firma?
3. Cuando empezó a trabajar en Merle, su anterior empresa, ¿ya (tener) .... experiencia en otros puestos similares?
4. ¿Cuál (ser) .... su mayor decepción profesional hasta ahora?, ¿cómo la (superar) ....?
5. ¿Qué le (aportar) .... sus anteriores experiencias profesionales?
6. Hasta que nos (conocer) .... personalmente, ¿nunca (plantearse) .... colaborar con nosotros?
7. Cuando (estudiar) .... en la universidad, ¿ya (pensar) .... en su puesto de trabajo ideal?
8. ¿Qué o quién le (marcar) .... en su vida profesional?
9. ¿Por qué (elegir) .... esta profesión?
10. Cuando llegó a su puesto anterior, ¿ya (alcanzar) .... posiciones de dirección en otras compañías?

2 Quería llamarle y no pude
Complete los siguientes diálogos con las formas del pasado adecuadas.

1
–Ya (enviar, yo) .... más de cincuenta CV y aún no (recibir) .... ninguna respuesta.
–¡Hombre! Ya sabes que ahora es mala época, antes del verano, la mayoría de las empresas (contratar) .... al personal para la temporada.

2
–Ayer (enterarse, yo) .... de que AC Hoteles (estar) .... buscando recepcionistas.
–Sí, sí ya lo sé. (Llamar, yo) .... esta mañana, pero el puesto (estar) .... cubierto ....; creo que la selección de candidatos (ser) .... la semana pasada.

3
–Nadie (poder) .... imaginar que la contratarían para ese puesto.
–Pues yo, sí. (Estar) .... convencida de que sería la elegida.

4
–¿Cuándo (tener) .... la última entrevista, Elena?
–Pues el proceso de selección (empezar) .... el mes pasado y la última entrevista (ser) .... el lunes de la semana pasada. Y hasta ahora no (recibir) .... ningún correo ni llamada para decirme si (seleccionar, a mí) .... o no.

5 –Jorge ya (aceptar) .... el actual puesto de trabajo, cuando (recibir) .... otra oferta más interesante.
–A mí me (pasar) .... lo mismo cuando (vivir) .... en Salamanca.

6 –Fernando, perdona la interrupción. A ver, ¿qué te (estar) .... diciendo?
–Me (comentar) .... lo del cambio de ubicación de la filial de Salamanca.
–Eso. Pues, mira, (pensar) .... ir hoy a visitar esos nuevos locales, pero no me va a ser posible.

Las oraciones consecutivas

Expresan las consecuencias o efectos de la oración principal: *El producto está defectuoso. Por eso tenemos que retirarlo del mercado.*

Nexos consecutivos más frecuentes:

De manera que, de modo que, de forma que, tan… que, con lo que, por lo que, por lo tanto, de este modo, por eso, por esto, así (es) que, por (lo) tanto, de ahí, de ahí que.

El verbo de la oración consecutiva va en indicativo, excepto las precedidas por *de ahí* o *de ahí que.*

3 Magia con las palabras
Escoja adjetivos de la lista y construya frases con un nexo consecutivo distinto en cada una.

Piensa en tu puesto de trabajo ideal y algunas de las competencias que requiere este puesto.

Ejemplos: *Soy eficiente. **Por eso** reparto las tareas entre el equipo en función de sus puntos fuertes. Soy puntual. **Por lo tanto**, siempre que tengo una reunión, llego con antelación para asegurarme de que todo está preparado.*

Adjetivos: abierto, activo, amable, amplio de mente, analítico, asertivo, comunicador, constante, cooperativo, creativo, crítico, decidido, detallista, diplomático, **eficiente**, emprendedor, ejecutivo, enérgico, entusiasta, ético, exigente, fiel, honesto, imaginativo, independiente, justo, líder, lógico, metódico, minucioso, motivador, negociador, objetivo, optimista, organizado, paciente, perceptivo, persuasivo, positivo, práctico, precavido, previsor, productivo, **puntual**, rápido, responsable, seguro, sincero, sereno, tolerante, etc.

Competencias: liderazgo, capacidad organizativa, saber delegar, puntualidad, precisión, espíritu crítico, creatividad, improvisación, flexibilidad, adaptabilidad, etc.

Nexos consecutivos: **por eso**, de manera que, de forma que, por lo que, por ello, **por lo tanto**, de este modo, así que, etc.

Taller de...

1 Ofertas de empleo

Lea estos anuncios de prensa.

EMPRESAS EUROPEAS

Con 36 000 colaboradores, somos una importante sociedad industrial española, especializada en los sectores de bienes de equipo pesados.
Para nuestro director administrativo y financiero buscamos un **COLABORADOR**, riguroso y metódico y perfectamente bilingüe (francés y español).

Si tiene usted entre 36/40 años, experiencia de gestión y título en escuela de gestión francesa o española (Barcelona o Bilbao), le proponemos, en nuestra nueva empresa en Madrid, tomar a su cargo la subdirección de Control de Gestión de nuestras filiales españolas.

Para tener éxito en esta misión tiene que encontrarse a gusto en el mundo económico que usted domina.

Contacto: *Communique* sous reference 257/EL 50/54, rue de Silly – 92513 BOULOGNE BILLANCOURT cedex FRANCE

LA EQUITATIVA

Desea incorporar en Madrid

10 personas (hombres/mujeres) con clara vocación comercial.

Requisitos:
–Edad superior a 25 años.
–Alto nivel cultural.
–Capacidad de comunicación, relación comercial y de negociación a alto nivel.
Se valora:
–Experiencia comercial o en dirección de ventas de éxito probado.
Ofrecemos:
–Integración en solvente grupo empresarial en fase de expansión.
–Plan de formación permanente (España y extranjero).
–Plan de carrera profesional.
–Apoyo de *marketing* directo.
–Alta remuneración y beneficios sociales.

Interesados concertar entrevista personal los días 22, 23 y 24 en el: 915 94 04 73/915 94 04 74. De 8:30 a 14:00 y de 16:30 a 19:00.
Ref.: Proceso de selección.

Universitario... no marcamos límites al futuro

Si confías en tu competencia y capacidad de trabajo, te importa la calidad de tu vida profesional y quieres formar parte de una empresa en la que existe la posibilidad de crecer... nuestra filosofía empresarial no pone límites al desarrollo personal de sus empleados. Ofrecemos, a universitarios como tú, amplios horizontes en los sectores petrolífero, químico y nuevas tecnologías. Una de nuestras metas: conservar el medio ambiente mejorando así el futuro de todos.

Si tienes un título universitario reciente y buenos conocimientos de inglés, envíanos tu currículum con un breve resumen de tus experiencias profesionales.

BP. Tu futuro ya no tiene límite.
BP ESPAÑA, S.A.
Dirección de Recursos Humanos
Att. Srta. García Bahamonde
P.º de la Castellana, 91 28046 Madrid

2 Requisitos

¿Qué información se incluye en estas ofertas de trabajo?

	1	2	3
Requiere:			
Conocimientos de algún idioma			
Titulación superior			
Experiencia laboral en el sector			
Edad mínima para el puesto			
Características personales específicas			
Ofrece:			
Incorporación en plantilla			
Beneficios sociales			
Posibilidad de desarrollo profesional			
Remuneración a convenir			

usted

¿Qué oferta de trabajo le atrae más? ¿Por qué?

3 Currículum vítae

Complételo con la información del recuadro.

Robles Castillo, Almudena

Dirección	C/ San Pablo, 18. 37008 Salamanca, España.
Teléfono(s)	923 21 12 34
Correo(s) electrónico(s)	aroblescas@hotmail.com
Nacionalidad	Española.
Fecha de nacimiento	2 de agosto de 1980.

Experiencia de trabajo

Fechas	De julio de 2005 a fecha actual.
Profesión o cargo desempeñado	(1)
Funciones y responsabilidades	Confección de órdenes de compra, control y seguimiento de recepción de pedidos. (2)
Empresa	FEBRA INTERNACIONAL, Buenos Aires, Argentina. Sector: Textil.
Fechas	De julio de 2003 a junio de 2005.
Profesión o cargo desempeñado	(3) Departamento de Contabilidad.
Funciones y responsabilidades	Análisis y conciliación de saldos de proveedores. (4)
Empresa	DIRON, S.R.L., Santiago, Chile. Sector: (5)

Educación y formación

Fechas	De 2001 a 2003.
Título	(6)
Centro de estudios	ESADE. Barcelona (centro privado).
Fechas	De 1997 a 2001.
Título	(7)
Centro de estudios	Facultad de CC. Económicas y Empresariales. Universidad de Salamanca.

Capacidades y competencias personales

Idioma(s)	Inglés - nivel alto (hablado y escrito) / Alemán - nivel intermedio (hablado y escrito).
Capacidades sociales	Gran capacidad comunicativa y de trabajo en equipo.
Capacidades organizativas	(8)
Capacidades informáticas	Buen manejo de ordenadores (aplicaciones contables, base de datos, tratamiento de textos).

Dotes de comunicación y organización. Responsable de cuentas-proveedores. Coordinación de entrega de mercadería. Preparación de información para cierres contables y análisis de deudores del exterior. Licenciada en Administración de Empresas (ADE). Fabricación y distribución de productos para el hogar. Máster en Dirección de Empresas. Adjunta al director de compras internacionales.

4 Capacidades y competencias

¿Qué otras capacidades y competencias podría añadir en las siguientes categorías? Coméntelas después en clase.

sociales	organizativas	técnicas	artísticas

1 El grupo  GRUPO EROSKI

El Grupo Eroski es una empresa líder en el sector de distribución de productos y servicios de gran consumo en España, cuyos propietarios son los mismos trabajadores.

1. ¿De qué tipo de sociedad se trata?
2. Lea el siguiente artículo y conteste las preguntas.

Cuando el trabajador es el propietario

HAY que remontarse a la primavera de 1969 cuando diez cooperativas de Vizcaya y Guipúzcoa acordaron unirse y formar un proyecto en el que los consumidores y trabajadores participasen conjuntamente. De esta iniciativa surgió Eroski, un grupo de distribución de productos y servicios de gran consumo que está presente en toda España. Los 88 socios iniciales son hoy 12 620, y los varios miles de consumidores del inicio superan, en la actualidad, los 630 000 clientes (socios consumidores y Amigos de la Fundación Eroski). La principal característica del grupo es el modelo de empresa basado en la propiedad y el protagonismo de las personas. Los trabajadores participan en el capital de la empresa y, por lo tanto, en sus resultados económicos. Los empleados-propietarios se reparten, de modo universal y equitativo, parte de los beneficios.

En su modelo de gestión, Eroski promueve la capacitación de los trabajadores para, por un lado, satisfacer a los clientes y, por otro, ofrecer una vía para la realización profesional de los empleados. Entre otras medidas, se intentan cubrir las vacantes y los nuevos

puestos con miembros de la plantilla y se opta por la contratación indefinida y la no contratación eventual en puestos estructurales.

Una de las grandes apuestas de la empresa es la formación de los empleados. La mayor parte de cursos ofrecidos son tanto para los trabajadores en los hipermercados, oficinas de viajes, perfumerías, etc., como para los directivos y personas con equipos a su cargo. Pero además de invertir en la formación específica para el puesto de trabajo, Eroski ofrece un amplio abanico de cursos para mejorar la formación individual (idiomas, ofimática, etc.).

Otro de los puntales de su modelo empresarial es la conciliación con medidas como la extensión y mejora de las posibilidades para solicitar excedencias con reserva del puesto o reducciones de jornada, o la potenciación de horarios continuos.

Eroski se caracteriza por ofrecer un trabajo estable que permite desarrollar una carrera profesional de calidad. Esto explica que la antigüedad media en la empresa sea de ocho años y la edad media de la plantilla ronde los 36 años.

Adaptado de Las Provincias

1. ¿Cuál es la antigüedad del Grupo Eroski? ....
2. ¿Cuáles son los pilares del grupo? ....
3. ¿Qué destaca de su modelo de gestión? ....
4. Señale tres puntos que caracterizan la gestión de RR. HH. en el Grupo Eroski. ......
5. ¿Qué aspectos, expuestos en el artículo, le parecen más interesantes? ....

La clave del éxito

2 Eroski.es

Entre ahora en **www.eroski.es** para conocer mejor esta empresa española.

Conteste las siguientes preguntas.

1. ¿Cómo se refleja la responsabilidad social de la empresa?
2. En su opinión, ¿qué tipo de imagen corporativa se desea transmitir en la página de entrada?

3 Datos de la compañía

Busque estas informaciones en **www.eroski.es** y complete la tabla.

	Respuesta
Nombre del presidente de la Fundación Eroski:	
Número de trabajadores-propietarios:	
Número de empleados:	
Cifra de negocio actual:	
Beneficio neto:	
Inversiones:	
Marcas:	
Presencia internacional:	
Buscar empleo en Eroski. ¿Qué hay que hacer?	

4 Conozca mejor el grupo

El Grupo Eroski tiene varias empresas y cubre muchos sectores diferentes además de alimentación.

Escoja una tienda *on-line* de Eroski y prepare una pequeña presentación que incluya:

● Productos que comercializa
● A qué público se dirige
● Ventajas competitivas
● Otros hechos de interés

Compare su presentación con la de otros compañeros que hayan escogido una tienda diferente y decidan qué tienen todas en común.

¿En qué se nota el concepto, la marca Eroski?

Viajes

Telefonía

Eroski *on-line* web

Selecciona tu tienda preferida y conoce **las ofertas más cercanas a ti.**

Descubre cuál es la tuya

Deportes

Acción oral

Usted pertenece a una empresa especializada en organización de programas de motivación de personal. Uno de sus clientes les ha pedido la elaboración de un programa de motivación específico para sus necesidades.

Elabore un programa de motivación

Cree un programa para la plantilla de la siguiente empresa:

- Pyme, sector distribución.
- Características del sector: muy competitivo. La coordinación y compenetración del personal es esencial.

Puede escoger entre las siguientes sugerencias para dicho programa o crear otras:

1. Repartir una paga extra equivalente al sueldo de un año entre los empleados si se alcanzan los objetivos de beneficios en un periodo determinado (a largo plazo).

2. Crear un «buzón de quejas» para que los empleados puedan denunciar, de forma anónima, fallos en el funcionamiento de la empresa.

3. Crear el programa de «mejor empleado del mes» y premiar al ganador.

4. Organizar un viaje de incentivo para los miembros del departamento más eficaz y productivo de la empresa en el periodo de un año.

En grupos de tres

RECURSOS

Expresar finalidad: *para, a fin de, con el propósito de, con el objetivo de, etc.*

Expresar consecuencia: *por eso, por esto, de este modo, de manera que, etc.*

Persuadir: *¿no cree que...?, ¿no le parece que...?, si tiene en cuenta que, no es que quiera convencerle pero, etc.*

- Presente su programa al resto del grupo.
- Discutan las opciones elegidas.
- Convenza a su grupo de la finalidad y utilidad de los elementos del programa que usted ha escogido.

Reunión para reducir personal
Grupos de trabajo

Usted pertenece al Departamento de Recursos Humanos. A raíz de la última crisis en el sector, su empresa se ve en la obligación de rescindir dos contratos. El equipo de RR. HH. debe ponerse de acuerdo sobre qué dos personas van a ser despedidas de entre las siguientes. Todas tienen la misma antigüedad en la empresa.

Manuela: pertenece al Departamento de Contabilidad. Es una persona entregada a su trabajo que prácticamente vive en la oficina. Tiene 57 años y vive con su madre. A veces se pasa por el despacho los fines de semana. Es muy escrupulosa y exigente y le gusta hacer las cosas «como siempre se han hecho». Esto hace que, a veces, sea lenta en aceptar los cambios y haga perder los nervios a sus compañeros de equipo. Por otra parte, nunca discute las órdenes de dirección y es una persona de intachable honestidad.

Rosa María: recepcionista de la empresa. Sus compañeros dicen de ella que es «el sol de España». Siempre está de buen humor. Recuerda el nombre de todos los clientes y su situación familiar. Tiene 38 años, está divorciada y vive con sus dos hijos pequeños. Debido a eso, a veces llega con retraso a la empresa cuando le surge alguna dificultad doméstica. Sus compañeros lo comprenden y suplen entre todos como pueden sus ausencias. A veces usa el ordenador de la empresa para seguir un curso de *marketing* a distancia. Es ambiciosa y espera prosperar.

José: es un excelente vendedor, que a lo largo de los años ha conseguido y sabido conservar innumerables clientes para la empresa. Ha ganado el título de mejor vendedor del año en más de una ocasión. Tiene 56 años y recientemente se ha quedado viudo. Esto le ha entristecido mucho y parece deprimido y con poca energía. Lo cierto es que este último año ha perdido más de una venta. Él lo achaca a la crisis generalizada del sector.

Juan Carlos: es la cara internacional de la empresa. Domina el inglés, el francés y el alemán. Suele representar a la empresa en todas las ferias y convenciones y se encarga de la supervisión de las traducciones de los contratos internacionales, que son siempre excelentes. Tiene 43 años, está casado y su mujer acaba de dar a luz a gemelos. Juan Carlos

suele dejar siempre el trabajo para última hora y esto hace que a veces dificulte el trabajo en equipo, ya que impide que se haga una planificación seria. Por otra parte, no suele comunicar a tiempo toda la información a sus compañeros, por lo que a veces obstaculiza su trabajo.

Entrevista con

su opinión

¿Qué tipo de empresas, según usted, solicitan la colaboración de una firma de cazatalentos?

El señor Julio López-Amo, director general de la firma *Head-Hunting Transearch,* concedió una entrevista al periódico *La Vanguardia.*

PISTA 4

PREGUNTA 1 ¿Qué tipo de empresas son las que solicitan la colaboración de una firma de cazatalentos?

Escuche la respuesta y compárela con la suya. ¿Coinciden?

PREGUNTA 2 Algunas compañías consideran caros los servicios de los *head-hunters,* ¿es cierto?

Escuche la respuesta a la segunda pregunta y resúmala con las siguientes palabras:

búsqueda, requerir, rigor, elegir, rentable

PREGUNTA 3 ¿Qué es lo primero que hace un profesional de *head-hunting* cuando una empresa le pide que busque a un alto ejecutivo?

Escuche la respuesta a la tercera pregunta y señale si son verdaderas o falsas las siguientes afirmaciones.

	V	F
1. Buscar en los ficheros.		
2. Obtener información sobre el tipo de producto que fabrica la empresa.		
3. Enviar a uno de sus empleados a la competencia.		
4. Informarse de la estrategia que usa la empresa que le ha pedido sus servicios.		

PREGUNTA 4 ¿Cómo se inicia el análisis del candidato elegido para una determinada empresa?

Escuche la última respuesta y complete el texto con las palabras que faltan.

Comienza con una serie de (1) .... en profundidad para (2) .... a la persona desde dos ópticas: su (3) .... y sus (4) .... La siguiente fase consiste en solicitar (5) .... del candidato en aquellas empresas en las que (6) .... su labor anterior, a excepción de aquella en la que está trabajando. Los mismos (7) .... suelen proporcionar al *head-hunter* una (8) .... que pueden dar referencias de su (9) ....

léxico

SUSTANTIVOS

activo, el ....

anuncio, el ....

aspiración económica, la

....

aspirante, el/la ....

beneficios sociales, los

....

buzón, el

–de quejas ....

–de sugerencias ....

candidato/a, el/la ....

candidatura, la ....

cargo, el ....

carrera, la ....

carrera profesional, la

....

competencias, las ....

conciliación, la ....

contrato indefinido, el

....

convenio, el ....

deducción, la ....

desarrollo profesional, el

....

desempeño, el ....

diferenciación, la ....

documentación, la ....

enfoque, el ....

entrevista, la ....

especialización, la ....

etapa, la ....

evaluación, la ....

excedencia, la ....

expediente académico, el

....

experiencia laboral, la

....

filial, la ....

función, la ....

gratificación, la ....

horario continuo, el ....

horario laboral, el ....

incentivo, el ....

incremento, el ....

interesado/a, el/la ....

jornada intensiva, la

....

jubilación, la ....

licenciado/a, el/la ....

modelo de gestión, el

....

motivación, la ....

número de identificación fiscal, el (NIF)

....

nómina, la ....

paga, la

–extra(ordinaria) ....

–mensual ....

percepción económica, la

....

perfil, el ....

periodo de prueba, el

....

personal, el ....

plan de formación, el

....

plantilla, la ....

prácticas, las ....

prioridad, la ....

proceso de selección, el

....

productividad, la ....

quehaceres, los ....

realización profesional, la

....

reducción de jornada, la

....

remuneración, la ....

requisito, el ....

retribución, la ....

salario, el ....

selección, la ....

talento, el ....

tendencia, la ....

titulación superior, la

....

trabajo en equipo, el ....

vacante, la ....

VERBOS

aspirar ....

concertar ....

contratar ....

convenir ....

desarrollar ....

desempeñar ....

despedir ....

elegir ....

encajar ....

enterarse ....

entrevistar(se) ....

establecer ....

firmar ....

ignorar ....

incorporarse ....

mejorar ....

ofertar ....

ofrecer ....

percibir ....

reducir ....

requerir ....

retribuir ....

seleccionar ....

sentirse ....

soler ....

solicitar ....

valorar ....

ADJETIVOS

anual ....

bilingüe ....

cualificado/a ....

especializado/a ....

eventual ....

inexperto/a ....

infravalorado/a ....

mensual ....

metódico/a ....

prorrogable ....

riguroso/a ....

FUNCIONES

- Confirmar una información (II).
- Retomar un tema anterior.
- Expresar deseos.

GRAMÁTICA

- Presente de subjuntivo
  –en oraciones relativas con valor de desconocimiento.
  –en oraciones temporales introducidas por *tan pronto como, hasta que, una vez (que), apenas, mientras, en cuanto,* con matiz de posterioridad.
- Pretérito perfecto de subjuntivo.

LÉXICO

- *Marketing.*
- Publicidad.
- Campaña y anuncios publicitarios.
- Soportes publicitarios.

ES NOTICIA

- Paradores de España, S. A.

Nivel B2

Marketing y publicidad 3

Conceptos del tema

Concepto de *marketing*

● «... es un modo de concebir y ejecutar la relación de intercambio, con la finalidad de que sea satisfactoria a las partes que intervienen y a la sociedad, mediante el desarrollo, valoración y promoción, por una de las partes de los bienes, servicios o ideas que la otra parte necesita». *Santesmases*

● «... es una actividad humana cuya finalidad consiste en satisfacer las necesidades y deseos del ser humano mediante procesos de intercambio». *Philip Kotler*

● «... es un conjunto de herramientas de análisis, de métodos de previsión utilizados con el fin de desarrollar un enfoque perspectivo de las necesidades de la demanda. Este método se reserva para las grandes empresas». *J. J. Lambín*

Concepto de *publicidad*

● «... es un esfuerzo pagado, transmitido por medios masivos de información con objeto de persuadir». *O'Guinn, Allen y Semenik*

● «... es cualquier forma pagada de presentación y promoción no personal de ideas, bienes o servicios por un patrocinador identificado». *Kotler y Armstrong*

● «... es una comunicación no personal, pagada por un patrocinador claramente identificado, que promueve ideas, organizaciones o productos. Los puntos de venta más habituales para los anuncios son los medios de transmisión por televisión y radio y los impresos (diarios y revistas)». *Stanton, Walker y Etzel*

¿Qué definición, de cada concepto, le parece más completa? ¿Por qué?

VOCABULARIO

1 Promocionar un producto

Defina los siguientes términos y complete las frases. En algunos casos puede ir en plural.

1. En todos nuestros .... presentamos los diferentes productos de manera atractiva para el posible ....

2. Debido al próximo cierre de la cadena de distribución Nutre, se ofrecen interesantes ....

3. Una de las .... de economía y negocios más vendidas en nuestro país es *Dinero*.

4. En la última .... internacional del automóvil se pudieron encontrar los modelos más sofisticados e innovadores de este sector.

5. Con el fin de .... todos sus productos y servicios, la empresa Fusta utilizó diferentes ....

6. La .... presentada es bastante atractiva.

- consumidor
- oferta • folleto
- feria • promocionar
- medios de comunicación
- revista • descuento

2 Definiciones

Relacione cada definición con la palabra adecuada.

a. Dibujo pequeño impreso, aislado o formando una historieta cómica.

b. Frase breve, fácilmente recordable, que aparece al final de un mensaje publicitario y resume su contenido.

c. Conjunto de características demográficas, sociales y de mentalidad que distinguen a los consumidores de una marca, clientes de un establecimiento o usuarios de un servicio.

d. Mensaje que llega directamente a personas previamente identificadas.

e. Publicación que aparece un día fijo cada semana.

f. Ámbito propio de una actividad o de un conocimiento.

g. Empresa que asesora a un anunciante, colabora en la definición de la estrategia de comunicación, crea el mensaje, supervisa su realización y controla su difusión.

h. Persona que, regularmente, utiliza los servicios de un profesional o una empresa o que acostumbra a comprar en un mismo establecimiento.

i. Información con soporte visual o auditivo sobre bienes o servicios pagada por el fabricante o comerciante de los mismos.

j. Folleto publicitario plegado en dos.

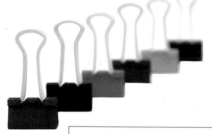

1. agencia de publicidad
2. campo
3. viñeta
4. cliente
5. díptico
6. semanario
7. publicidad directa
8. eslogan o lema
9. perfil del consumidor
10. anuncio

a.	b.	c.	d.	e.	f.	g.	h.	i.	j.

Luis Fenosa, nuevo en el Departamento Comercial de la agencia de viajes AVENTURA, habla con su compañera Teresa Campuzano.

3 Elaborar una estrategia de promoción

Lea el diálogo siguiente y complételo con las palabras de los ejercicios 1 y 2 y las que aparecen a continuación.

cartel ● periódico ● coste ● público objetivo ● catálogo ● *stand* ● proveedores

« Luis: Pues sí, Teresa, lo cierto es que estoy bastante preocupado por la (1) .... Es la primera vez. No sé si estoy preparado para hacerme cargo del (2) ....

Teresa: No te preocupes. Tenemos tiempo suficiente para prepararlo todo y seguro que lo harás muy bien. De todas formas, lo importante es no olvidar que una parte fundamental para el buen funcionamiento de un negocio es darse a conocer tanto a los (3) .... como a los (4) ....

Luis: ¡Desde luego! Por cierto, ¿qué te parece el vídeo que ha preparado la (5) ....? Desde mi punto de vista es un (6) .... de televisión excelente.

Teresa: Sí, y aunque el (7) .... ha sido elevado, pienso que utilizar los (8) .... en el (9) .... de la publicidad es fundamental.

Luis: Hablando de medios, las (10) .... del cómic sobre los «viajes especiales» que publicamos el domingo en el (11) ....

se adaptaban muy bien al mensaje que queríamos transmitir, ¿no te parece?

Teresa: ¡Ya lo creo! El objetivo es que aparezcan también en los (12) .... que vamos a repartir en la feria.

Luis: Volviendo al tema de la feria, aparte de los folletos, ¿de qué material disponemos?

Teresa: Pues verás, hay (13) .... muy detallados y también (14) .... con fotos y listas de precios. Por cierto, ¿has visto lo que dice el (15) .... del verano para los viajes especiales? A ver si te gusta. Dice: «¡Atrévete!». Ya sabes que este año estamos (16) .... viajes «atrevidos». Confiamos en que tengan éxito. El (17) .... al que pretendemos atraer es gente joven con posibilidades económicas.

Luis: Bueno, quizá me llegue nuestra propia publicidad a casa uno de estos días. ¿Me atreveré a ir de viaje? ¿Me haréis (18) ....?

Teresa: Por supuesto, y si nos consigues clientes en la feria, incluso te regalaremos los (19) .... que sobren para que decores tu casa con imágenes de todo el mundo. »

4 Comprobar

Escuche ahora el diálogo y compruebe si lo ha completado correctamente.

PISTA 5

recursos

1 Tome la palabra

Clasifique las siguientes locuciones que aparecen en el diálogo anterior según su función.

¡desde luego! ● por supuesto ● volviendo a ● hablando de ● por cierto ● ¡ya lo creo! ● confiamos en

Confirmar una información	Retomar un tema anterior	Expresar deseos

2 Más funciones

Lea el texto siguiente. Sustituya las locuciones subrayadas por las sinónimas que aparecen a continuación.

ante todo ● asimismo ● en cuanto a ● cabe observar ● sin embargo ● cabe destacar

El señor Rodríguez-López, director del periódico España Hoy, *participó en las Jornadas sobre la Publicidad celebradas en Zaragoza.*

Rodríguez-López empezó la charla diciendo: «(1) <u>Primero</u>, debo indicar que la prensa es un fenómeno comunicativo y económico al mismo tiempo. (2) <u>Respecto a</u> los cambios experimentados en este sector en los últimos años, (3) <u>cabe señalar</u> que han sido verdaderamente importantes. Antes, los diarios tenían más páginas de información que de publicidad, (4) <u>no obstante</u>, hoy, la publicidad ocupa una función casi dominante.

(5) <u>Además</u>, para garantizar la independencia de los diarios, su solvencia y su rigor se precisa dinero, por eso es necesaria la publicidad; es importante mantener el equilibrio entre la información y los anuncios.

Hay que tener muy en cuenta el papel que hoy juega la publicidad en la empresa, (6) <u>cabe resaltar</u> la importancia que otorgan a la misma la mayoría de las empresas a la hora de plantear su estrategia de ventas».

3 Ahora usted

Relacione las dos columnas.

1. Hacerse cargo
2. De todas formas
3. Darse a conocer
4. Por cierto
5. Lo cierto es

a) A propósito
b) La verdad es
c) Responsabilizarse de
d) En cualquier caso
e) Mostrarse al público

4 Una buena campaña publicitaria

Lea las frases siguientes y complete la conversación.

- necesitamos que las acciones publicitarias vayan dirigidas a…
- … tan pronto como la tengan,…
- No me sorprende que se haya encontrado con…
- buscamos una campaña que nos pueda…
- … es de esperar que haya recopilado…

Sonia Carreras habla con un agente publicitario.

" Sonia Carreras: Tal y como le dije el otro día a su socio, estamos muy preocupados por la poca aceptación que tiene el producto en el mercado, aunque según el análisis DAFO parecía ser un buen momento.

Francisco García: No se preocupe. El lanzamiento se produjo hace menos de un mes y la penetración en el mercado suele requerir un cierto tiempo.

Sonia Carreras: Ya, pero han surgido contratiempos relacionados con la imagen de marca.

Francisco García: .... algunas dificultades, que tendremos en cuenta en la nueva campaña.

Sonia Carreras: Bien, ... definir como marca y como empresa.

Francisco García: Por supuesto. Entendemos perfectamente lo que le interesa, ... conseguir este objetivo.

Sonia Carreras: Exactamente.

Francisco García: Como mi socio está trabajando en ello, ... toda la información necesaria para idear la campaña y mostrársela en breve.

Sonia Carreras: Bien, ... avísenme, por favor. "

Presente de subjuntivo

Algunos usos:

–en oraciones relativas con valor de desconocimiento.
Busco una secretaria que sepa varios idiomas.

–en oraciones temporales introducidas por *tan pronto como, hasta que, una vez (que), apenas, mientras, en cuanto,* con matiz de posterioridad.
Nos avisará tan pronto como le llegue la información.
Apenas lo sepa, te lo diré.
Me quedaré hasta que termines.

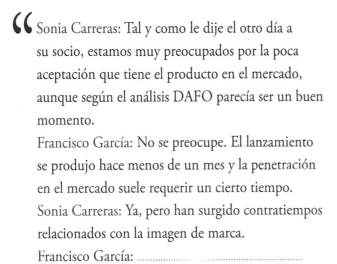

De interés

El análisis DAFO es el análisis de las Debilidades, Amenazas, Fortalezas y Oportunidades de una empresa, tanto en relación con el mercado y su entorno (oportunidades y amenazas) como en relación con la propia organización (fortalezas y debilidades).

Pretérito perfecto de subjuntivo

El pretérito perfecto de subjuntivo se forma con el **presente de subjuntivo** del verbo *haber* más el participio **del verbo**.

haya
hayas
haya   + participio pasado
hayamos
hayáis
hayan

Uso: expresa una acción acabada y completa en el pasado, en relación con el presente.
Espero que hayan llegado los informes.
Una vez que hayamos decidido el nombre de la empresa, te lo comunicaremos.

Gramática

1 Busco una persona que sea un buen profesional

Complete los siguientes diálogos en subjuntivo o indicativo y explique el motivo para usarlos.

1. Tomás: Busco una secretaria a la que conocí el otro día, pero de cuyo nombre no me acuerdo. Es una persona que (hablar) .... varios idiomas y hace años trabajó en Sumes.

   Fabián: Quizás te refieres a Laura.

   Tomás: Sí, creo que ese es su nombre.

2. Gloria: Hola, Miguel, quizás me puedas ayudar. Busco un comercial que (conocer) .... los mercados asiáticos y que (tener) .... flexibilidad para hacer viajes largos.

   Miguel: Justamente anteayer me hablaron de una persona que reúne estas características.

3. Rafael: Opino que estos planos de nuestra nueva oficina no están nada claros. Estos arquitectos son un completo desastre.

   Tomás: Busquemos un arquitecto que (saber) .... más sobre diseño de edificios para despachos.

4. Rosa: Este proyecto que nos ha presentado Nuria me gusta mucho; veo que tiene objetivos claros.

   Elena: Sin embargo, creo que necesita alguna idea nueva, no podemos aceptarlo hasta que no (cumplir) .... los requisitos indicados y además (poder) .... aportarnos innovación al proyecto.

5. Maite: Buscamos a un asesor financiero llamado Julián Navarro que antes (trabajar) .... en Divas, pero ahora no sabemos dónde está.

   Domingo: ¿Uno que vivió muchos años en México?

   Maite: Ese. Llámale por favor, le necesitamos.

6. Maribel: No creo que el pedido pueda estar listo para la próxima semana.

   Fernando: ¡Haz lo imposible, por favor! Y, tan pronto (estar) .... listo, lo enviaremos.

2 Indicativo o subjuntivo

Elija la forma correcta.

1. Busco un colaborador que *sepa/sabe* elaborar bien el catálogo de la próxima temporada.

2. Nos dirigimos a nuestros clientes que *conozcan/conocen* bien nuestros nuevos productos.

3. Busco a un señor que *estuvo/esté* ayer aquí y llevaba un maletín marrón.

4. Apenas *llegue/llegó* Juan a la oficina, seguro que empezará a reunirnos a todos.

5. Necesitamos una campaña publicitaria que *muestra/muestre* exactamente nuestra marca y nuestros productos.

6. Cada vez buscamos más un tipo de comunicación que *es/sea* más rápida y menos compleja.

7. El director de la Asociación de Empresarios cree que el número de turistas que van a visitar nuestro país no aumentará hasta que no *cambiamos/cambiemos* nuestra política de precios.

8. Los españoles que *salgan/saldrán* del país el próximo verano para ir a países que *necesiten/necesitan* visados tienen que presentarse en las comisarías de policía.

3 En primera persona

a. Escriba la 1ª persona del singular del pretérito perfecto de subjuntivo de estos verbos.

Infinitivo	1ª pers. pretérito perfecto de subjuntivo
satisfacer	
identificar	
reponer	
ejecutar	
romper	
transmitir	
rehacer	
escribir	

b. ¿Con qué estructuras podrían ir las formas del pretérito perfecto de subjuntivo de la actividad anterior?

1. Es posible que ☐
2. Ve que ☐
3. Duda que ☐
4. Piensa que ☐
5. Es lógico que ☐

6. Es cierto que ☐
7. Es mejor que ☐
8. No cree que ☐
9. Imagina que ☐
10. Me agradece que ☐

c. Escriba frases con las siguientes estructuras.

Es posible que haya identificado la nueva fórmula.

1. Es posible que
2. Duda que
3. Es lógico que

4. Es mejor que
5. No cree que
6. Me agradece que

4 En el Departamento de *Marketing*

Esta es una relación de actividades que se suelen realizar en un Departamento de *Marketing*. Usted no cree que su empresa haya hecho todo eso. Modifique las frases y exprese su desconfianza como en el ejemplo.

Ej. Elaborar y llevar a cabo experimentos de marketing.
–No creo que haya elaborado y llevado a cabo experimentos de marketing.

1. Observar el comportamiento del consumidor.
2. Elaborar encuestas.
3. Invertir tiempo y medios para ampliar la información.
4. Realizar estudios de mercado.
5. Comprobar las posibilidades del mercado.
6. Decidir el tipo de envases, diseños, formas y colores del producto.
7. Hacer test de productos.

Taller de...

Marketing o publicidad ¿?

Con nosotros, su publicidad...

...nunca acabará en la papelera.

Si se pone enfermo, cobrará

Si tiene un hijo, cobrará

Si le operan, cobrará

Si no le pasa nada, también cobrará

usted

¿Qué otros productos se podrían anunciar con el mismo eslogan? ¿Qué le pide usted a un eslogan?

TÚ VALES MUCHO

Ahora en los concesionarios valoramos mucho más su coche usado a la hora de comprar otro. Así que, si está pensando cambiar de coche, venga a vernos y entérese de las condiciones especiales del mes.

Vale la pena

¡Confíe en nosotros y verá la diferencia!

A.

B.

Este calzoncillo, algodón 100 %, posee un diseño cómodo y atrevido. Su PVP: 10,21 € y lo puede encontrar en todas las tiendas de España.

Si estas dos prendas son exactamente iguales, ¿por qué el consumidor llegará a preferir A antes que B? Llámenos Tel.: 934 68 86 86 y se lo explicaremos.

Este calzoncillo, algodón 100 %, posee un diseño cómodo y atrevido. Su PVP: 10,21 € y también lo puede encontrar en todas las tiendas de España.

1 *Marketing* o publicidad

Lea las siguientes definiciones. ¿Se refieren al *marketing* o a la publicidad?

1 Se concentra, sobre todo, en analizar los gustos de los consumidores:

....

2 Es una poderosa herramienta de la promoción utilizada por empresas, organizaciones no lucrativas, instituciones del Estado y personas individuales, para dar a conocer un determinado mensaje relacionado con sus productos, servicios, ideas u otros, a un determinado grupo objetivo:

....

3 Producto, precio y promoción son tres factores fundamentales en el desarrollo del

....

4 Es una forma de comunicación impersonal de largo alcance, ya que utiliza medios masivos de comunicación como televisión, radio, medios impresos, Internet, etc. ....

2 Definiciones

¿A cuál de los siguientes conceptos se refieren estas definiciones?
¿Los relacionaría con *marketing* o con publicidad?

público	precio	promoción	patrocinador	producto	planificación

1 Es el bien o servicio que se ofrece. Surge de la utilización de materias primas (materiales o intelectuales) para formar un útil, que puede generar un consumo para ser comprado o que tenga un valor para quien lo disfrute.	**2** Es el valor que se le asigna al bien que se consume. Existen bienes de consumo masivo, bienes de lujo, bienes escasos o raros, etc.	**3** Es la difusión que se hace del bien o servicio, para atraer la atención del cliente, generar una conciencia de marca y, como es lógico, dar a conocer el producto que se ofrece. ....

3 La publicidad ilícita

¿Cómo definiría la publicidad ilícita? Relacione los siguientes tipos de publicidad ilícita con su definición.

1. Atenta contra la dignidad de la persona
2. Engañosa
3. Desleal
4. Subliminal

a) Por su contenido, menosprecia o descalifica a los competidores e intenta confundir.

b) Vulnera los valores y derechos reconocidos en la Constitución, especialmente en lo que se refiere a la infancia, la juventud y la mujer.

c) Mediante diferentes técnicas, actúa sobre el público destinatario sin ser conscientemente percibida.

d) Induce a error al consumidor por no mencionar aspectos fundamentales o por transmitir un mensaje que se interpreta de modo erróneo.

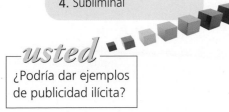

usted

¿Podría dar ejemplos de publicidad ilícita?

Es noticia

1 El grupo PARADORES
Hoteles & Restaurantes 1928

Allá por 1910 el Gobierno encargó al marqués de la Vega Inclán el proyecto de crear una estructura hotelera para dar alojamiento a los excursionistas y mejorar la imagen internacional de España.

1. ¿Conoce alguna cadena hotelera española? ¿Puede indicar a qué segmento del mercado se orientan sus establecimientos? Ej.: *hoteles urbanos para ejecutivos, hoteles rurales, etc.*

2. «Cuando el pasado lo es casi todo» es el título del artículo que va a leer. ¿Qué característica de esta empresa cree que se desea destacar?

3. Lea el siguiente artículo y conteste las preguntas.

Cuando el pasado lo es casi todo

Paradores tiene su origen en un proyecto gubernamental llevado a cabo por el marqués de la Vega Inclán para dar mayor notoriedad al turismo español. En 1928, Alfonso XIII inaugura el primer parador. Pero el presente de Paradores no es fruto del pasado. Se ha adaptado a los nuevos tiempos con una estrategia que pasa por la innovación y la diversificación.

En 2004, Paradores creó su plan estratégico con el fin de adaptarse a la nueva situación económica. Un aumento de las ventas del 48 %, 1,5 millones de clientes y una ocupación media del 70 % son algunos de los datos obtenidos por la empresa el año pasado. Estos buenos resultados se deben, principalmente, a la renovación constante y al control de la producción. El objetivo, la eficiencia, se ha conseguido a través de medidas como estudios de fidelización.

Una empresa pública configurada como sociedad anónima. Esta es la esencia de Paradores de Turismo de España, S. A., que se gestiona de la misma manera que cualquier empresa privada. Con casi cien años de historia y unos 90 establecimientos, Paradores ha sabido proyectar una imagen de modernidad y calidad del turismo nacional, y contribuir a la recuperación y mantenimiento del patrimonio histórico cultural español. A esto se une la originalidad de sus instalaciones. La mayoría de los paradores de turismo se encuentra ubicada en edificios vinculados al patrimonio del Estado: castillos, palacios y conventos rescatados de la ruina y el abandono y puestos a disposición del cliente a partir de 70 euros la noche.

Pero la ventaja competitiva de esta empresa también incluye la gastronomía, mediante la organización de eventos creados para potenciar la calidad en la comida y el gusto por lo viejo. Otro tipo de ventajas es la incorporación a la oferta de campos de golf y *spa* como parte de la estrategia de modernización de la empresa, que busca abrirse mercado en otros segmentos.

Otros factores han contribuido al éxito de Paradores. Su marca tiene los niveles de reconocimiento más altos del segmento hotelero. Asimismo, su política de precios es muy interesante: en general, los Paradores son percibidos como caros, pero al compararlos con la oferta competidora en el mismo segmento, resultan ser bastante más baratos. La fidelidad del cliente en Paradores es muy elevada comparada con la media del sector y tiene unos niveles de venta directa muy altos, tanto a través de la central de reservas como a través de Internet.

La combinación de servicio público y la competitividad privada ha convertido a Paradores en uno de los más claros exponentes de la hostelería en España.

Parador de Ronda

Adaptado de *Las Provincias*

1. ¿Cómo es la gestión de Paradores de España, S. A.?

2. ¿Por qué se caracterizan sus hoteles?

3. ¿Qué incluye su oferta?

4. ¿Cuáles son sus canales de venta más importantes?

usted

En su opinión, ¿qué necesita una empresa de este tipo para triunfar en el competitivo sector de la hostelería?

La clave del éxito

2 Parador.es

Conteste las siguientes preguntas.

Entre en **www.parador.es** para conocer mejor esta empresa española.

1. ¿Qué destacaría usted de la pantalla inicial del sitio web?

2. En su opinión, ¿qué información se desea destacar en la página de entrada?

3. ¿Cree usted que en esta página web se refleja la combinación de pasado y modernidad? Justifique su respuesta.

3 Datos de la compañía

Entre en **www.parador.es** y complete la tabla.

	Respuesta
Parador más antiguo:	
Programas de fidelización:	
Promociones que se ofrecen:	
¿En qué consiste el programa Rutas en Paradores?	
Entornos en los que se encuentran los paradores:	
Tipo de edificio en el que nos podemos alojar:	

4 Conozca mejor la empresa

En grupos, escojan uno de los siguientes paradores (www.parador.es) y elaboren un análisis DAFO del mismo.

Parador de Santiago de Compostela

Parador de Alcalá de Henares

Parador de Cardona

Parador de Málaga

Fortalezas	Debilidades
¿En qué nos diferenciamos de la competencia? ¿Qué sabemos hacer mejor?	¿Qué factores nos colocan en una posición desfavorable con respecto a la competencia?
Oportunidades	**Amenazas**
¿Qué posibles mercados o nichos de negocio existen?	¿Qué factores pueden poner en peligro la supervivencia de la organización?

Acción oral

El Gobierno de su país quiere lanzar una campaña para promocionar el turismo internacional. El Ministerio responsable de turismo ha contactado con su agencia publicitaria para que elabore una o varias propuestas para esta campaña.

Prepare una campaña publicitaria

Grupos de trabajo

1. Análisis de producto y público objetivo

- Estudiar características básicas del país o la zona que se desea promocionar.

- Decidir a qué público(s) objetivo se dirigirá la campaña.

- Ver qué tipo de producto es más adecuado para el público objetivo elegido.

- Decidir las acciones publicitarias más convenientes (anuncios, patrocinio, entrevistas, etc.) y el soporte más adecuado (prensa, vallas, televisión, Internet...).

2. Cree un anuncio publicitario con los mensajes que definen el producto objeto de su campaña.

Como inspiración, vea a continuación este ejemplo de anuncio de campañas anteriores de España:

http://www.tourspain.es/es-es/marketing/Publicidad/Campanas/Paginas/INeedSpain.aspx

Elabore un *dossier* resumiendo su propuesta de campaña publicitaria.

Prepare y presente a los representantes del Ministerio de Turismo de su país las acciones publicitarias de su campaña.

RECURSOS

Comparar: *igual de, tan... como, cuanto más/menos... (tanto) más/menos, a diferencia de, es lo mismo que, etc.*

Adverbios: *indudablemente, evidentemente, afortunadamente, etc.*

Expresar convicción: *estoy (totalmente) convencido de que, no hay duda de que, tengo la convicción de que, etc.*

Destacar algo: *conviene destacar, cabe subrayar, tengo que insistir en, etc.*

Reformular: *en otras palabras, es decir, dicho de otro modo, etc.*

Empleo carrera
Innovación
paro PUEDES GANAR
promoción ¡ACTÚA! liderazgo
Emprendedor euros crisis
líder ECONOMÍA Formación
Empezar

Exponga la(s) propuesta(s) que ha elaborado para la campaña publicitaria.

- Publicidad del producto: explique en qué público objetivo y producto se va a centrar.

- Publicidad comparativa: compare su producto frente al de la competencia (otros países o zonas de un mismo país).

- Medio(s) publicitario(s): presente el/los medio(s) que le parezca(n) más eficaces para su campaña.

- Proponga un eslogan o lema para la campaña.

- Presente y justifique su propuesta de anuncio publicitario. Haga un análisis comparativo con otros ya existentes en el mercado.

Entrevista con

su opinión

¿Cómo definiría al consumidor de hoy?

PISTA 6

El señor Martín Sorrell, presidente de *Wire Plastic Products,* uno de los primeros grupos mundiales de publicidad y comunicación empresarial, habla para *La Vanguardia.*

PREGUNTA 1 Señor Sorrell, ¿podría definir el perfil del consumidor hoy?

Escuche la respuesta y compárela con la suya. ¿Coinciden?

PREGUNTA 2 ¿Se puede hablar de un cambio importante en las estrategias de publicidad durante los últimos años?

Escuche la respuesta a la segunda pregunta y resúmala con las siguientes palabras:
desarrollo, inversión, coste, inflación.

PREGUNTA 3 ¿Cree que es posible que el ciudadano se rebele ante el bombardeo publicitario?

Escuche la respuesta a la tercera pregunta y señale si son verdaderas o falsas las siguientes afirmaciones.

	V	F
1. El ciudadano está harto de la publicidad por correo.		
2. Hay que «invadir» al consumidor para convencerle.		
3. La comunicación tiene una única vertiente.		
4. La comunicación es, cada vez, más amplia y compleja.		

PREGUNTA 4 ¿Cuál es su opinión sobre el nivel que ha alcanzado la publicidad en España?

Escuche la última respuesta y complete el texto con las palabras que faltan.

Bueno, he de confesar que no soy un experto en (1) ...., ya que nunca he redactado un (2) .... Como usted sabe, yo soy (3) .... y analizo este sector desde el punto de vista económico. Pero sí puedo decir que el (4) .... en España, al igual que en otros países del sur de Europa, ha registrado un (5) .... en torno al 20 % anual. Realmente hay que admirar el (6) .... que ha alcanzado la publicidad en su país. También sorprende ver el (7) .... experimentado por el mercado de la (8) ....

léxico

SUSTANTIVOS

agencia de publicidad, la

anuncio, el

bienes de consumo, los

cadena de distribución, la

campaña de publicidad, la

canal de comercialización, el

columna, la

competencia, la

competidor/-a, el/la

compilación, la

consumidor/-a, el/la

consumo, el

demanda, la

descuento, el

difusión, la

díptico, el

eslogan, el

establecimiento, el

feria comercial, la

fidelidad, la

fidelización, la

folleto, el

gasto publicitario, el

herramienta, la

ilustración, la

imagen, la

imagen de marca, la

intercambio, el

lema, el

marca, la

marketing, el

medio audiovisual, el

medios de comunicación, los

mentalidad, la

oferta, la

patrocinador/-a, el/la

plan estratégico, el

planificación, la

previsión, la

promoción, la

publicidad, la

publicidad directa, la

público objetivo, el

punto de venta, el

revista, la

segmento, el

semanario, el

soporte publicitario, el

valor, el

valla publicitaria, la

ventaja competitiva, la

viñeta, la

VERBOS

abrir (mercado)

analizar

atraer

concebir

concentrarse

conocer

conseguir

consumir

dar a conocer

difundir

disfrutar

disponer

encubrir

generar

patrocinar

persuadir

potenciar

promocionar

promover

repartir

satisfacer

transmitir

ADJETIVOS

atractivo/a

comparativo/a

demográfico/a

desleal

engañoso/a

escaso/a

impersonal

innovador/-a

lucrativo/a

masivo/a

potencial

publicitario/a

subliminal

útil

OTROS

bien de lujo

conscientemente

detalladamente

estratégicamente

FUNCIONES

- Advertir.

- Expresar
  - la causa.
  - la inmediatez.
  - el cese de una
    actividad.

GRAMÁTICA

- Imperfecto de subjuntivo.

- Oraciones finales.

LÉXICO

- Compras.

- Pedidos.

- Tipos de clientes.

ES NOTICIA

- Bodegas García-Carrión.

Nivel B2

Conceptos del tema

- Lea las siguientes definiciones según el *Diccionario de la Real Academia Española.*

Comprar: 1. tr. *Obtener algo con dinero.*

Vender: 1. tr. *Traspasar a alguien por el precio convenido la propiedad de lo que uno posee.*

- ¿Cómo definiría usted ambas actividades comerciales? ¿Qué añadiría? ¿Cómo las definiría un profesional del sector?

Lea y compare el contenido de los siguientes textos. ¿Coinciden estas definiciones con las suyas?

Comerciar es el acto de obtener el producto o servicio de la calidad correcta, al precio correcto, en el tiempo correcto y en el lugar correcto. En términos de la administración de empresas, comprar supone el proceso de localización y selección de proveedores, adquisición de productos, negociaciones sobre el precio y condiciones de pago, así como el acompañamiento de dicho proceso para garantizar el cumplimiento de las condiciones pactadas.

Adaptado de *J. L. Benaque Rojas*

Vender es cambiar productos y servicios por dinero. Desde el punto de vista contable y financiero, la venta es el monto total cobrado por productos o servicios prestados. Las ventas son el corazón de un negocio. Una venta involucra, al menos, tres actividades: 1) cultivar un comprador potencial, 2) hacerle entender las características y ventajas del producto o servicio y 3) cerrar la venta, es decir, acordar los términos y el precio.

Adaptado de *www.degerencia.com*

VOCABULARIO

1 Hacer un pedido

Defina los siguientes términos y complete las frases. En algunos casos puede ir en plural.

- intermediario ● pedido
- margen de beneficios
- existencia
- número de referencia
- plazo de entrega
- sección de compras
- materia prima ● envío

1. El precio del gas natural como .... bajará un 6,4 % a partir de mañana.

2. Durante el último cuatrimestre, Rute obtuvo un .... del 73 %.

3. La función de los .... es la de unir al productor con los demandantes finales de lo que este produce.

4. Todos los .... destinados a cualquiera de las 17 comunidades autónomas de España se hacen por vía terrestre.

5. El formulario de su pedido le permite escoger tanto el método de .... como el ....

6. Si no tenemos .... en el momento de efectuar su pedido, le notificaremos que estos productos quedan pendientes de envío.

7. Las preguntas dirigidas al Departamento de Servicio al Cliente recibirán un .... Por favor, úselo cuando se comunique con nosotros sobre ese mismo asunto.

8. Para cualquier información adicional sobre compras y selección de proveedores, tiene que contactar con la ....

2 Definiciones

Relacione cada definición con la palabra adecuada.

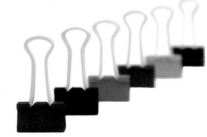

a. Producto.

b. Rescindir el encargo.

c. Exigir el cumplimiento de una obligación.

d. Persona que suministra el producto.

e. Empresa que se dedica a vender al por mayor.

f. Lista de existencias.

g. Posibilidad de realizar el pago de forma más ventajosa para el cliente.

h. Disminución pactada del precio de venta al público.

i. Retraso en la entrega o el pago de un producto.

j. Porcentaje que se queda el intermediario en una venta.

k. Persona física o jurídica con una situación similar en el mercado, lo que le sitúa como rival en el sector.

l. Acción de poner un producto en posesión de otra persona.

1. anular un pedido
2. comisión
3. competidor
4. proveedor
5. demora
6. descuento
7. entrega
8. facilidades de pago
9. inventario
10. mayorista
11. mercancía
12. reclamar

a.	b.	c.	d.	e.	f.	g.	h.	i.	j.	k.	l.

En el despacho de Juan Cuevas, director de ventas de la empresa Bandes. Juan y Felipe hablan de la gestión del *stock*.

3 Gestionar la venta

Lea el diálogo siguiente y complételo con las palabras de los ejercicios 1 y 2 y con las que aparecen a continuación.

precio ● calidad ● sector ● reclamación ● ventas ● punto de venta

" Juan: Oye, Felipe, ¿cuándo vencen los (1) .... de los últimos (2) ....?

Felipe: Ahora que lo dices, deben estar a punto de vencer, ¿por qué?

Juan: Me da la impresión de que no recibiremos el algodón a tiempo.

Felipe: Es que deberíamos tener más de un (3) ...., ya que si este deja de suministrarnos, estaremos sin (4) .... y no podremos cumplir los (5) ....

Juan: Según el (6) ...., todavía podemos confeccionar unas 25 000 camisetas más, pero ten en cuenta que nuestro compromiso es entregar 40 000 esta temporada. Si no llega el algodón, quizá anulen los pedidos.

Felipe: No lo creo, ya sabes que nuestros (7) .... están en fuerte desventaja tanto en (8) .... como en (9) .... y seguimos a la cabeza del sector gracias a que tenemos un producto muy competitivo. Pero hemos de andar con pies de plomo porque amenaza crisis en el (10) ....

Yo prefiero no cantar victoria hasta ver la (11) .... con mis propios ojos.

Juan: Ahora mismo llamo y reclamo el (12) .... del pedido. De paso, hablaré con Maribel para que nos informe de cómo van las (13) .... de camisetas.

***

Juan: ¿Maribel? Soy Juan, de ventas. ¡Dime!, ¿qué tal todo?

Maribel: ¡No me hables! Hoy me ha llamado el (14) .... Vistabien para hacer una (15) .... por culpa de un error en la (16) .... Enviamos a un vendedor nuevo al (17) .... y en lugar de anotar todo al pie de la letra, apuntó mal el (18) .... de la mercancía. Así que Vistabien pretende que les hagamos una rebaja a causa de la (19) .... en la entrega. El caso es que ya les ofrecemos (20) .... y (21) .... por buenos clientes y, si aceptamos otra rebaja, se va a reducir mucho nuestro (22) ....

Juan: Bueno, pues no te doy más la lata. Volveré a llamar más tarde y me dices cómo se ha solucionado el asunto. "

4 Comprobar

Escuche ahora el diálogo y compruebe si lo ha completado correctamente.

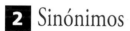

recursos

1 Tome la palabra

Clasifique las siguientes locuciones que aparecen en el diálogo anterior según su función.

gracias a (que) ● estar a punto de ● ya que ● hemos de ● por culpa de ● dejar de ● a causa de ● ten en cuenta

Expresar la causa	Expresar inmediatez	Advertir	Expresar el cese de una actividad

2 Sinónimos

Relacione cada expresión con su sinónima y complete las frases.

1. Me da la impresión de que
2. Por poco
3. Tienes razón
4. Según
5. Por suerte
6. Ten en cuenta que

a) Casi
b) Afortunadamente
c) Piensa que
d) Creo que
e) Estás en lo cierto
f) Como

1. Los costes de ventas de las empresas españolas se han incrementado un 30 % .... revela una encuesta reciente.
2. Por los datos que acabo de recibir .... el coche más vendido este año será el Renault Mégane.
3. .... las redes electrónicas podrían permitir a las empresas realizar ofertas adecuadas a los compradores.
4. ...., las nuevas tecnologías han supuesto una auténtica transformación.
5. Debido a una huelga de transportes, la entrega se ha demorado y .... el cliente se queda sin recibir la mercancía en el plazo fijado.
6. ...., estamos saliendo de la crisis.

3 Expresiones

¿Qué cree que significan las siguientes expresiones del diálogo? Relaciónelas con su significado.

1. Andar con pies de plomo.
2. No cantar victoria.
3. Dar la lata.
4. (Hacer algo) al pie de la letra.

a) Molestar.
b) Ir con cuidado. Ser prudente.
c) Hacer algo literalmente.
d) No alegrarse antes de tiempo.

4 Sobre las ventas *on-line*

Lea las frases siguientes y complete el diálogo.

- … sería que cerca de la mitad se convirtieran…
- Me encantaría que continuaran…
- No pensaba que fuera así.
- Sería lógico que cambiaran…
- … dudaba que consiguieran…

"Daniel Vela: Me he enterado de que hay catorce empresas que ofrecen descuentos estos días de Navidad a través de su página web.

Adela Manises: ¿Solo estos días?

Daniel Vela: Sí, solo hasta el 5 de enero.

Adela Manises: ¡Qué pena! .... con esos descuentos durante todo el año.

Daniel Vela: Y mira, la aerolínea LAN dará descuentos de hasta el 50 %. He leído que, si en un día normal reciben 20 000 visitas, con el descuento pueden tener hasta 11 veces más y lo lógico .... en ventas.

Adela Manises: Pero, en cambio, las grandes cadenas de distribución dedicadas a la alimentación siguen sin despegar en la venta a través de Internet.

....

Daniel Vela: .... su estrategia e incentivaran la compra con descuentos importantes, ¿no crees?

Adela Manises: Puede que tengas razón. En cambio, el ramo textil arrasa en la carrera de las ventas *on-line*.

Daniel Vela: Es que se arriesgaron en su momento. Yo, en aquella época, ... el éxito."

Imperfecto de subjuntivo verbos regulares		
verbos en -ar	**verbos en -er**	**verbos en -ir**
hablara	comiera	viviera
hablaras	comieras	vivieras
hablara	comiera	viviera
habláramos	comiéramos	viviéramos
hablarais	comierais	vivierais
hablaran	comieran	vivieran

Forma:	**Usos:**
El imperfecto del subjuntivo se forma a partir de la tercera persona del plural del pretérito perfecto simple de indicativo. Sustituimos –aron para los verbos en –ar por –ara: hablaron – hablara y –ieron para los verbos en –er e –ir por –iera: comieron - comiera, vivieron - viviera. Se forman así tanto los verbos regulares como los irregulares. Ellos tuvieron – ellos tuvieran. ¡Ojo! Este tiempo tiene dos formas. Además de la terminada en –ra, existe otra terminada en –se, que se utiliza menos. Hablara - hablase, tuviera - tuviese.	a) Cuando el verbo del que depende el subjuntivo va en pretérito perfecto simple, imperfecto, o condicional, usamos el pretérito imperfecto de subjuntivo. Me aconsejó que fuera a verle. No imaginaba que pudiera hacerlo. Me gustaría que mantuviera una entrevista con el director de recursos humanos. b) En forma de cortesía con el verbo querer. Quisiera hablar con Pablo Valencia.

Gramática

1 Verbos en pretérito imperfecto de subjuntivo
Complete la tabla.

	hacer	ir	estar	poder	ser
Yo	hiciera				
Tú		fueras			
Él, ella, usted				pudiera	
Nosotros/as					
Vosotros/as			estuvierais		
Ellos, ellas, ustedes					fueran

2 La forma verbal correcta
Escriba los verbos en la forma correcta del pretérito imperfecto de subjuntivo.

1. –¿Creías que Laura trabajaba en nuestra empresa?

   –No, la verdad es que no creía que (trabajar)

   .... allí, pero Pedro me lo dijo.

2. –Por lo visto, hemos de rectificar las últimas nóminas del personal.

   –¿Qué me dices?

   –Sí, en la última junta, los directivos sugirieron que nosotros (revisar) .... los sueldos base de los empleados.

3. –¿Sabías que el área de recursos humanos se encarga de realizar todas las gestiones relativas a la contratación del nuevo trabajador?

   –Claro que lo sabía, pero ignoraba que todos los trámites (tener) .... que hacerlos también ellos.

   –Sí, sí, todo.

4. –Mira, estoy harta de tantas reuniones para motivar al personal.

   –Sí, pero a mí me molestaba más que antes ellos (hacer) .... tantas evaluaciones periódicas.

5. –Antes era muy difícil que los directivos (conocer) .... algunos aspectos de sus empleados.

   –¿A qué aspectos te refieres?

   –A los de la iniciativa individual o la relación con los compañeros. No tenían medios para saberlos.

6. –(Querer) .... concertar una entrevista con el señor Tablada.

   –Lo siento, ahora está de viaje.

3 Era importante que participara en este proyecto
Complete los diálogos con los siguientes verbos o expresiones.

gustaría ● es mejor ● dudaba ● era importante ● es lógico

1. –................................ que viniera.

   –Pero no tenías ningún motivo para ello.

2. –................................ que vayas tú solo a ver al director.

   –Creo que tienes razón.

3. –................................ que estuvieran informadas del despido.

   –Por supuesto, no hay que ocultar nada.

4. –Me .... que las vacaciones fueran más largas.

   –A mí también, pero solo tenemos quince días.

5. –................................ que se enfade siempre; no hay nadie que trabaje bien en la empresa.

   –Yo no lo veo tan lógico, más bien lo considero una falta de motivación por su parte.

4 El imperfecto de subjuntivo
Complete las frases con el verbo en la forma adecuada.

Pablo: ¿Qué tal, Enrique? ¿Cómo te va la vida?

Enrique: Voy tirando. Últimamente no me va demasiado bien. No creo que consiga el puesto de trabajo que solicité.

Pablo: No sabía que (estar, tú) .... buscando trabajo. ¿Por qué no me lo comentaste antes? En nuestra empresa necesitamos ampliar la plantilla.

Enrique: No quería que te (molestar)

.... en ayudarme, sé que eres un buen amigo, pero no desearía que te (preocupar) .... por mis problemas.

Pablo: ¡Qué tontería, Enrique! No es ninguna molestia para mí.

Enrique: Pensé en llamarte cuando me quedé sin trabajo, pero Marta me sugirió que no lo (hacer)

.... porque tú siempre estás de viaje y...

Pablo: ¡Qué absurdo! Mira, hablaré con el director de recursos humanos de mi empresa; seguro que necesitamos un buen ingeniero como tú.

Enrique: No puedes imaginarte cómo te agradezco que hagas eso por mí. Espero poder compensarte de algún modo.

Pablo: ¡No se hable más! Somos amigos, ¿no?

Las oraciones finales

Expresan la finalidad, el objetivo o el propósito de la oración principal.
Algunas oraciones finales que requieren **subjuntivo** vienen precedidas por:
para que, a fin de que, con el objeto de que, con vistas a que...
Contrató el seguro para que el cliente pudiera conducir el coche.
Sin embargo, *para, a fin de, con el objeto de, con vistas a* preceden a un verbo
en **infinitivo** o a un **sustantivo**.
Contrató el seguro para su nuevo coche.

5 ¿Infinitivo o subjuntivo?
Escriba la forma verbal adecuada y añada *que* cuando sea necesario.

1. –Manuel reservó con tiempo el vuelo a fin de (asegurarse) .... llegar puntualmente a la reunión.
   –Me parece una buena idea. Él suele ser siempre impuntual.

2. –Rafael Páez abrió una nueva sucursal con el objeto de no (perder) .... el potencial de compra del nuevo barrio.
   –Pues, mira, Miranda Fez hizo algo similar en su negocio con vistas a (ampliar) .... el número de consumidores de sus productos.

3. –Vamos a comprar una nueva impresora con el objeto de (quedar) .... perfectos todos los documentos que imprimimos.
   –¡Buena idea! Pero tiene que ser antes del viernes porque Maribel ha prometido quedarse trabajando

ese día hasta muy tarde a fin de (estar) .... todos los documentos en orden y listos para firmar el lunes próximo.

4. –Necesitamos a un vendedor algo agresivo con vistas a (potenciar) .... la penetración del nuevo producto en este sector.
   –Creo que ya lo tengo. Es la persona idónea para .... (lograr) aumentar nuestras ventas.

5. –Hice todo lo que pude con el objeto de .... nuestros huéspedes (disfrutar) .... de cada momento que pasaron en nuestro hotel.
   –Creo que lo has conseguido. Sin embargo, considero que también lo realizaste con vistas a (ser) .... realmente una experiencia única para ellos.

Taller de...

1 Hábitos de consumo

Relacione las dos columnas formando grupos de palabras que tengan significado.

1. búsqueda de	a) referencia
2. hábitos de	b) entrega
3. precio de	c) ventas
4. fuerza de	d) beneficios
5. plazos de	e) resultados
6. margen de	f) ingresos
7. cuenta de	g) venta (x2)
8. número de	h) pago
9. facilidades de	i) compra
10. plan de	j) negocio (x2)
11. cifra de	
12. punto de	

2 Fuerza de ventas

Complete el texto con las preposiciones adecuadas.

(1) .... el sector, la empresa Max era conocida (2) .... su agresiva fuerza (3) .... ventas. El director (4) .... ventas lo explica así:

«El 80 % (5) .... nuestros vendedores ha estado, al menos, dos años (6) .... la universidad, y el 50 % está (7) .... posesión (8) .... un título universitario. Pero (9) .... ampliar su preparación y confiar (10) .... sus habilidades han pasado (11) .... nuestro programa (12) .... capacitación.

Tenemos seminarios (13) .... ellos, así como entrenamiento (14) .... la calle (15) .... la supervisión (16) .... representantes más experimentados.

Nuestros vendedores realizan un promedio (17) .... 4 visitas diarias (18) .... individuo. Nuestra fuerza (19) .... ventas al (20) .... mayor hace 4 visitas y media (21) .... individuo y (22) .... día. Este buen trabajo se refleja (23) .... sus sueldos. Perciben un sueldo base más una comisión. Nuestra política es que el buen trabajo merece buena paga.»

3 a. Los tipos de clientes

Defina los siguientes tipos de clientes. ¿Conoce alguno más?

agresivo   dominante   distraído   reservado   inestable   indeciso   vanidoso   locuaz

b. Sus características

¿Qué características corresponderían a cada tipo de cliente?

- Suele tener reacciones rápidas e impacientes. Se considera en posesión de la verdad.
- Se muestra impaciente y nervioso.
- Apenas contesta a las preguntas que se le hacen. Es una persona impasible. Da la impresión de que no entiende lo que se le dice.
- Parece no escuchar lo que se le dice.
- No deja de hablar. Si el diálogo no se dirige hábilmente, la conversación se desvía hacia otros temas.
- Es incapaz de tomar una decisión. Se interesa por diferentes productos al mismo tiempo. Pide opiniones a todos los que le rodean.
- Le gusta hablar fuerte y se muestra muy brusco y violento. Exige argumentaciones.
- Pone en duda las afirmaciones del vendedor. Busca demostrar su conocimiento del tema.

4 Psicología aplicada a la venta

¿Cómo actuaría con cada tipo de cliente? ¿Qué evitaría? Relacione como en el ejemplo.

Táctica	Evite
a. Hable con seguridad y permanezca impasible ante sus argumentos. ......Agresivo............	1. Interrumpir la conversación. Procure que las pausas sean breves. ....
b. Sea puntual y satisfaga las promesas que hace a su cliente.	2. Que la conversación pierda energía. ....
c. Concentre la argumentación en un solo punto. Demuestre interés.	3. Contradecir al cliente. No deje que se desconcierte. ....
d. Sea amable y demuestre interés. Haga preguntas cuya respuesta sea afirmativa.	4. Perder el control y hacer promesas que no puede cumplir. ......Agresivo................
e. Escuche, pero trate de llevar la conversación hacia el producto.	5. Interrumpir o hablar demasiado. No se deje dominar por los nervios. ....
f. Suministre información y dele consejos útiles.	6. Discutir o tomar sus sarcasmos como algo personal. ....
g. Demuestre interés por sus opiniones e ideas.	7. Distraerse o interrumpir la argumentación. ....
h. Escuche atentamente lo que le pide. Sea rápido en gestos y palabras.	8. Proponer novedades continuamente. ....

a.	b.	c.	d.	e.	f.	g.	h.
4							

Bodegas García-Carrión

La bodega familiar que dio a luz a «Don Simón» ha conquistado nuevos mercados con dos armas infalibles: innovación y agilidad.

1 Lemas publicitarios

«Voy a comer con Don Simón» es uno de los lemas publicitarios más populares en España. ¿A qué segmento, del mercado de bebidas, cree que corresponde «Don Simón»?

2 Don Simón

Lea el siguiente artículo y conteste las preguntas.

Todo el mundo va a comer con...

EN 1890 la bodega de la familia García-Carrión abre sus puertas en Jumilla, Murcia, y marca el inicio de lo que será una de las compañías españolas más relevantes y con mayor proyección internacional.

Desde entonces, mucho ha cambiado la historia, aunque la vocación internacional se ha mantenido viva y se ha renovado: «La última generación, la mía, es la realmente industrial porque hasta la de mi padre fueron mucho más agricultores», explica José García-Carrión (JGC), quien hoy dirige una compañía que lidera el mercado español de vinos y zumos.

Cuando en 1968 JGC empezó a trabajar en el negocio familiar, la empresa facturaba anualmente 90 000 euros. Desde el principio, tuvo claro que la innovación y la tecnología eran sus grandes apuestas.

Su primer paso fue crear una red de distribuidores por toda España. El segundo, levantar una nueva bodega cerca de Jumilla, y el tercero, implantar el primer

tren de embotellado de alta capacidad. Más tarde, su mujer se incorporará al negocio para hacerse cargo del *marketing* y la publicidad.

«Si algo hemos conseguido, […] ha sido […] por habernos atrevido a hacer cosas que otros consideraban una locura», explica JGC. Entre sus «locuras» más populares y rentables: el vino de mesa «Don Simón». Fuertes campañas de publicidad para un producto, en ese momento, contra-natura: el *brik* de vino de mesa contra el cristal retornable, sirvieron para que, un año después de su lanzamiento, esta marca tomara el liderazgo del segmento de vino de mesa, posición que ostenta aún hoy en día.

En 1986, la empresa vendía más de 70 millones de litros de vino, pero el consumo comenzaba a decrecer. García-Carrión supo ver que la marca, aunque muy identificada con las bebidas alcohólicas, podía convertirse en una marca *paraguas* para una nueva línea de productos y apostó por la diversificación. Elige el zumo para entrar en el sector de bebidas no alcohólicas, tras el cual llegarían los néctares, el mosto, la sangría y el té frío. En 1995, el colofón: la compañía invierte en tecnología de última hora para exprimir naranjas y elaborar gazpacho. Las cremas de verdura y los caldos naturales completan la línea «sin alcohol».

Desde que el bisabuelo del hoy presidente y alma máter de la empresa fundara el negocio, esta empresa ha sabido romper el dicho de que la tercera generación de la empresa familiar es la que deshace el negocio, gracias a su capacidad para buscar continuamente crecimiento donde otros no los ven.

Adaptado de *Modelos de estrategia*, JGC

1. ¿Cómo se refleja el cambio generacional en la empresa?
2. ¿Qué tres tareas desarrolla JGC tras su incorporación a la empresa?
3. ¿Por qué califican de «locura» el cambio de envase del vino de mesa?
4. ¿Qué lleva a García-Carrión a entrar en el sector de las bebidas no alcohólicas?
5. ¿Qué cambios e innovaciones han hecho de JGC una empresa familiar de éxito?

La clave del éxito

3 Garciacarrion.es

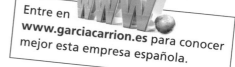

Entre en www.garciacarrion.es para conocer mejor esta empresa española.

Conteste las siguientes preguntas.

1. ¿Qué destacaría usted de la pantalla inicial del sitio?
2. Después de ver la página de entrada, ¿podría definir, en una frase, la empresa?

4 Datos de la compañía

Navegue por **www.garciacarrion.es** y complete la tabla.

	Respuesta
¿Dónde está la sede central?	
En la diversificación de sus productos, ¿cuál es y cuándo se introduce su última novedad?	
¿En qué planta «Don Simón» solo se producen zumos?	
Enumere tres productos refrigerados «Don Simón».	
¿Qué ventajas competitivas tienen los vinos de mesa «Don Simón»?	
¿Con cuántas denominaciones de origen (D.O.) cuenta JGC?	
Indique un ejemplo de publicidad comparativa «Don Simón».	
Escoja un producto y vea el anuncio. ¿Qué características del producto se destacan?	

5 Conozca mejor la empresa

Le ha llamado el propietario de un pequeño supermercado situado en una zona de playa donde pasan muchos clientes extranjeros durante todo el año. Este está interesado en ofrecer productos de «Don Simón» en su establecimiento, pero tiene un espacio limitado en los lineales, de manera que solo le será posible vender cuatro dentro de toda la gama de productos que ofrece la marca:

| zumos | néctares | bebidas funcionales y té frío | gazpacho, sopas y caldos | sangría, vino y tinto de verano |

Escoja cuatro productos, cada uno de una gama diferente, y prepare una explicación con sus características más importantes (ingredientes, envase, capacidad, condiciones de exposición en punto de venta). En su explicación debe justificar su elección a su distribuidor potencial.

Acción oral

Van a participar en una negociación entre dos empresas: Conservera Wales y Cooperativa Levantina. Elijan la empresa a la que desean representar, lean la información y prepárense para negociar.

Participe en una negociación

Grupos de trabajo

CONSERVERA WALES

Es usted el representante de la empresa británica Conservera Wales, famosa por su confitura de naranja. Su misión es negociar la compra de una partida de naranjas de primera calidad con Cooperativa Levantina, sociedad española cuyo precio es bastante competitivo. A usted le interesa negociar:

- Entrega de las naranjas en sus centros de producción y no solamente en el puerto.

- Una cláusula de indemnización que abarate el precio de compra en un 2 % por cada diez días de retraso en la entrega.

- Un plazo de 60 días para hacer efectivo el pago desde el momento de la entrega de la mercancía en los lugares pactados.

- Un descuento sobre el precio.

A continuación adjuntamos un sistema de puntuación que premiará sus logros en la negociación.

Descuento superior al 3 %.	1 punto
Cláusula de indemnización por diez días de retraso.	2 puntos
Entrega en centros de producción.	3 puntos
Aplazamiento del pago a 60 días desde la entrega.	4 puntos

COOPERATIVA LEVANTINA

Usted representa a la sociedad española Cooperativa Levantina, especializada en el cultivo y venta de naranjas de calidad, y cuyos precios son bastante competitivos. A su empresa le ha surgido la oportunidad de convertirse en proveedora de la prestigiosa Conservera Wales, famosa por su confitura de naranja. Usted está dispuesto a hacer concesiones, ya que Cooperativa Levantina está en proceso de expansión y quiere abrirse camino en el mercado internacional. Sin embargo, hay algunos aspectos que deberá discutir a fondo con el representante de Conservera Wales. A usted le interesa negociar:

- Entrega de las naranjas solo en un puerto y no en los centros de producción de la Conservera.

- Una cláusula de indemnización que abarate el precio de compra en un 2 % por cada veinte días de retraso en la entrega y no por cada diez como propone Conservera.

- Pago en el plazo de 30 días a partir de la entrega de la mercancía.

- Un descuento sobre el precio lo más bajo posible.

A continuación adjuntamos un sistema de puntuación que premiará sus logros en la negociación.

Descuento inferior al 3 %.	1 punto
Cláusula de indemnización por veinte días de retraso.	2 puntos
Entrega solo en un puerto.	3 puntos
Aplazamiento del pago a 30 días desde la entrega.	4 puntos

Desarrolle un producto innovador

Usted trabaja en una empresa perteneciente al sector de bebidas sin alcohol. El director de su departamento les ha pedido que desarrollen una idea sobre un producto innovador en su campo a partir de la información que va a leer sobre Groenlandia.

Lea la siguiente información publicada en una revista económica:

Explotar los recursos naturales

GROENLANDIA QUIERE CONVERTIR EL HIELO EN ORO

La capa de hielo que cubre el 85% de Groenlandia es casi tres veces mayor que Texas. Ahora, varias compañías quieren sacarle un rendimiento económico exportando agua.

«El consumo mundial de agua embotellada ha aumentado un 10 % anual en los últimos años... hay mucho campo para agua pura».

«Un solo iceberg flotante puede cubrir las necesidades de una compañía durante varios años».

«Los cubitos de hielo de Groenlandia son más transparentes y brillantes que el resto».

«Cada año pasan 2 000 icebergs cerca de Terranova. Al estar en aguas internacionales, se puede coger hielo de ellos legalmente».

«Es posible que el Parlamento de Groenlandia conceda licencias de larga duración e imponga *royalties* a las exportaciones de agua a granel».

En grupos

Elaboren una propuesta para su compañía sobre cómo aprovechar la oportunidad de explotar los recursos naturales de Groenlandia.

En su propuesta deberán incluir la siguiente información:

- Producto y marca
- Características del producto
- Nicho de mercado del producto
- Tipo de envase
- Red/canal(es) de distribución
- Puntos de venta
- Precio (factores para fijar ese precio)

- Presenten la propuesta al resto de la clase tratando los puntos anteriores.
- Voten el producto más innovador.

RECURSOS

Hablar de la evidencia: *es evidente, resulta evidente, sin lugar a dudas,* etc.

Rebatir un punto de vista: *comprendo que, sin embargo, es verdad que, pero,* etc.

Resumir y concluir: *para terminar, en pocas palabras, a modo de conclusión,* etc.

Agradecer la atención: *les agradezco de antemano, quisiera agradecer su participación/atención,* etc.

Interrumpir: *¿puedo hacer un inciso/una aclaración/añadir algo?, perdone que le interrumpa, pero,* etc.

Ceder la palabra: *su turno, tiene (usted) la palabra, ya puede intervenir,* etc.

Entrevista con

su opinión

¿Cree que las empresas deberían potenciar el uso de las nuevas tecnologías entre los vendedores?

PISTA 8

Cecilia Imbasteri, empresaria de Rosario, Argentina, apostó por su negocio en un contexto económico nada favorable. Su logro fue levantar un proyecto a base de ilusión y constancia. La señora Imbasteri concedió una entrevista al diario *La Nación*.

PREGUNTA 1 Señora Imbasteri, ¿cómo empezó en el mundo de las ventas?

Escuche la respuesta y complete el texto con las palabras que faltan.

Comencé casi por (1) .... en el mundo de las ventas. A través de una (2) .... de unos amigos. Aunque he de confesar que, desde el primer momento, me enamoré de esta profesión y supe que era mi (3) .... Al principio debo admitir que tuve bastantes (4) ...., sobre todo los impuestos por la (5) ...., que me indicaban seguir una carrera universitaria para obtener un (6) .... Hoy, después de mucho tiempo y miles de historias vividas, sé que la (7) .... fue lo único que me ayudó no solo a (8) .... en un ambiente totalmente adverso, sino también a (9) «..» de ingresos económicos y éxitos.

PREGUNTA 2 ¿Qué es lo que más le gusta de su trabajo?

Escuche la respuesta a la segunda pregunta y resúmala con las siguientes palabras:
trato exclusivo, honestidad, proceso, facturar, perseverante.

PREGUNTA 3 ¿Cree que las empresas deberían potenciar el uso de las nuevas tecnologías entre los vendedores?

Escuche la respuesta y compárela con lo que usted opina. ¿Coinciden?

PREGUNTA 4 ¿Cuál es el futuro de esta profesión?

Escuche la última respuesta y señale si son verdaderas o falsas las siguientes afirmaciones.

	V	F
1. En el futuro no se necesitarán vendedores profesionales.		
2. Las ventas por Internet nos conducen, sin lugar a dudas, hacia una eliminación del vendedor.		
3. Para aumentar el consumo, la figura del vendedor es importante.		
4. La tecnología no puede reemplazar los servicios del vendedor.		

léxico

SUSTANTIVOS

actividad comercial, la

acuerdo, el ....

adquisición, la ....

anulación, la ....

argumentación, la ....

artículo, el ....

atributo, el ....

búsqueda, la ....

calidad, la ....

cifra, la ....

comisión, la ....

compra, la ....

comprador/-a, el/la ....

compromiso, el ....

cuenta de resultados, la

demora, la ....

denominación de origen, la

descuento, el ....

desventaja, la ....

dinero, el ....

diversificación, la ....

entrega, la ....

envase, el ....

envío, el ....

error, el ....

existencias, las ....

facilidades de pago, las

formulario, el ....

fuerza de ventas, la ....

habilidad, la ....

hábito de compra, el ....

intermediario, el ....

inventario, el ....

liderazgo, el ....

margen, el ....

mayorista, el ....

mercancía, la ....

monto, el ....

nicho de mercado, el ....

novedad, la ....

pedido, el ....

plazo de entrega, el ....

plazo, el ....

precio de venta, el ....

propiedad, la ....

proveedor, el ....

rebaja, la ....

reclamación, la ....

red de distribución, la

referencia, la ....

representante, el/la ....

rival, el ....

sector, el ....

temporada, la ....

transacción, la ....

vendedor/-a, el/la ....

venta, la ....

ventaja, la ....

VERBOS

acordar ....

adquirir ....

anular ....

cambiar ....

comerciar ....

confeccionar ....

cumplir ....

decidirse ....

efectuar ....

escoger ....

explotar ....

facturar ....

implantar ....

pactar ....

potenciar ....

reclamar ....

reducir ....

rescindir ....

solucionar ....

suministrar ....

vencer ....

ADJETIVOS

agresivo/a ....

competitivo/a ....

distraído/a ....

dominante ....

impasible ....

indeciso/a ....

intangible ....

locuaz ....

prudente ....

reservado/a ....

tangible ....

vanidoso/a ....

OTROS

al pie de la letra ....

andar con pies de plomo

dar la lata ....

no cantar victoria ....

poner en duda ....

recibir a tiempo ....

FUNCIONES

- ■ Preguntar la opinión.
- ■ Mostrar escepticismo.
- ■ Indicar
  - –sorpresa.
  - –suposición.

GRAMÁTICA

- ■ Oraciones condicionales.
- ■ Pretérito pluscuamperfecto de subjuntivo.
- ■ Condicional compuesto.

LÉXICO

- ■ Importación.
- ■ Exportación.
- ■ Ferias comerciales.
- ■ Los *Incoterm*.

ES NOTICIA

- ■ Imaginarium.

Nivel B2

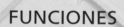

importación y exportación 5

Conceptos del tema

- ¿Qué verbos usaría para definir *exportación* e *importación*?

- Lea las siguientes definiciones:

> **Exportación** es la venta y salida de bienes de un país hacia otro, a través de la frontera aduanera. El concepto se aplica a mercancías, capitales, mano de obra, etc.

> **Importación** es la compra y entrada de bienes en un país procedentes de otro, a través de la frontera aduanera. El concepto se aplica a mercancías, capitales, mano de obra, etc.

- ¿Podría mencionar algunos productos que exporta su país de origen? ¿Y España?

- Según su opinión, ¿qué 10 países ocuparían los primeros puestos en el *ranking* de países importadores de productos españoles?

- De los siguientes factores, marque de más a menos importante aquellos que hay que tener en cuenta a la hora de tomar la decisión de exportar.

Saturación del mercado nacional ☐

Reducción de ventas en el mercado nacional ☐

Petición de ofertas del exterior ☐

Presión por parte de la competencia ☐

Incentivos a la exportación ☐

Internacionalización de mercados ☐

Ventajas comparativas ☐

VOCABULARIO

1 Comercializar un producto

Defina los siguientes términos y complete las frases. En algunos casos puede ir en plural.

1. Comercializar un producto en otro país no siempre es fácil, tampoco dentro de las .... de la Unión Europea.

2. Uno de los objetivos de las .... es el de ayudar a las empresas a ser más competitivas en temas de ....

3. En febrero, la Comisión propuso una nueva .... por la que se busca reducir el riesgo para las empresas de que sus productos no obtengan acceso al mercado de otro estado miembro.

4. El principio de reconocimiento mutuo que se recoge en los diferentes .... es la piedra angular de la libre circulación de ....

5. La libre circulación de mercancías es uno de los principales logros de la integración que ha fortalecido la economía europea en el .... global.

- cámara de comercio
- mercado ● frontera
- tratado ● regulación
- mercancía ● exportación

2 Definiciones

Relacione cada definición con la palabra adecuada.

a. Pasos que hay que dar en un negocio hasta el momento de su financiación.

b. Documento previo a la exportación donde consta una descripción de la mercancía que se envía (solo a efectos aduaneros).

c. Representante de una oficina aduanera que gestiona todas las incidencias: pago de derechos, reclamaciones, etc.

d. Acuerdo entre dos o más partes.

e. Documento legalizado por el cónsul del punto de embarque de una mercancía en el que consta: origen o procedencia de la misma, punto de destino, número y clase de la misma. Se presenta en el punto de descarga a efectos de aplicación de las leyes de aduanas.

f. Todo lo que se envía a la vez.

g. Permiso de exportación temporal, con fines de demostración.

h. Cantidad que se paga por el derecho a importar o exportar una mercancía.

i. Gravamen de los productos importados para que estén en igualdad de condiciones que los nacionales.

j. Impuesto que se aplica en el comercio exterior para agregar valor al precio de las mercancías en el mercado de destino, con el objetivo de proteger los bienes y servicios similares que se produzcan en el citado país.

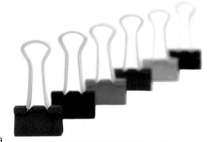

1. agente de aduanas
2. certificado de origen
3. convenio
4. cuadernos ATA
5. trámites
6. arancel
7. derecho arancelario
8. impuesto de compensación
9. factura pro-forma
10. remesa

a.	b.	c.	d.	e.	f.	g.	h.	i.	j.

3 Una feria en Chile

Lea el diálogo siguiente y complételo con las palabras de los ejercicios 1 y 2.

" Elena: Mira, acaba de llegarnos información de la (1) .... sobre la organización de una feria de accesorios de jardín en Chile. ¿Qué te parece lo de participar este año con nuestros nuevos productos? Quizá podamos entrar en ese (2) ....

Sr. Rubio: Pues... no sé qué decirte. Sugeriría que nos informáramos bien en la Cámara. Supongo que nos darán un buen servicio.

Elena: Imagino que sí. Cuando se creó esta empresa nos orientaron estupendamente en todos los (3) .... administrativos. A propósito de trámites, ¿recuerdas a Ángel Herrera? Ahora se dedica a gestionar todas las incidencias relacionadas con la entrada de (4) .... en el país, controlar su paso en la (5) .... y cobrar (6) .... e impuestos a las mercancías importadas. Me explicó, también,

que cuando se trata de importar materias primas o productos semielaborados que se incorporan a productos nacionales que van a ser exportados, según el tipo de productos que se importen, se les aplican unos (7) .... u otros.

Sr. Rubio: Tal vez deberías dedicarte a dar conferencias sobre (8) ....,
serías una buena ponente.

Elena: ¡Vaya! Justamente la Cámara me ha propuesto dar un curso de formación a jóvenes empresarios. Ahora tendré que ponerme al día en normativa y (9) .... de mercados internacionales.

Sr. Rubio: Pues nada, si quieres, mientras comemos, hablamos sobre todo lo relativo al (10) .... y el (11) .... para Chile y en qué (12) .... internacionales participa ese país. Necesitaremos toda esa información si al final decidimos asistir a la feria. "

4 Comprobar

🎧 Escuche ahora el diálogo y compruebe si lo ha completado correctamente.

PISTA 9

5 Amplíe

Complete la siguiente tabla.

sustantivo	verbo	adjetivo
	integrar	
exportación		
		mercantil
gestión		
		competitivo
	proteger	
		legal

1 Tome la palabra

Clasifique las siguientes locuciones que aparecen en el diálogo anterior según su función.

quizá ● ¿qué te parece lo de...? ● no sé qué decirte ● supongo que ● ¡vaya! ● tal vez ● imagino que

Preguntar la opinión	Indicar sorpresa	Indicar suposición	Mostrar escepticismo

2 Más funciones

¿Podría clasificar estas otras locuciones en la tabla anterior?

a lo mejor   pero ¿qué dices?   no me convence del todo

¿cómo lo ves?   ¿ah, sí?   a tu entender   suponiendo que

tengo mis dudas   ¿consideras...?   ¡no me digas!

3 Sinónimos

Marque la expresión sinónima de las siguientes locuciones.

1. ¿Qué te parece lo de...?
2. Tengo mis dudas.
3. ¡Vaya!
4. Supongo que...

a) ¡Qué dices!
b) Me da la impresión de que...
c) Y tú, ¿cómo ves lo de...?
d) No me convence del todo.

4 En contexto

Lea las frases siguientes y complete la entrevista.

● si hubiéramos formado a muchos profesionales en el dominio de idiomas...
● no se habría necesitado contratar...
● lo encontraría justo.
● si un candidato quiere optar a un puesto...

Entrevista a Gisela Bozzo, especialista en selección de RR. HH. a nivel internacional.

¿Qué perfil debe poseer una persona que quisiera trabajar en un Departamento de Exportación?

A mi entender, ... en el Departamento de Exportación, deberá cumplir requisitos mínimos que varían según el puesto. Sin embargo, para todos los puestos sería aconsejable que tuvieran una formación específica en comercio exterior.

¿Crees que están suficientemente valorados los profesionales dedicados a la exportación respecto a otros perfiles en la empresa?

En este aspecto no podemos generalizar, realmente depende del tipo de empresa (pyme o multinacional). Creo que es un perfil muy valorado en las empresas, pero tengo mis dudas en cuanto a que siempre se traduzca en compensación económica.

¿Le parece que se les remunera correctamente respecto a las responsabilidades que asumen y el perfil que tienen?

Si los profesionales de exportación estuvieran mejor pagados, ...

¿Qué errores cometen las empresas a la hora de seleccionar estos perfiles?

Imagino que el error principal está en olvidarse de factores que pueden ser tan importantes o más que la formación o experiencia en el sector, como son la cultura empresarial, los valores corporativos y el equipo de trabajo.

¿Cree que se pueden cubrir estos puestos en interno, dentro de la misma empresa?

Considero que, ..., ahora tendríamos un mayor colectivo que tendría más opciones laborales. Asimismo se han olvidado esos aspectos que le acabo de comentar; si se hubieran tenido en cuenta estos factores, ... a expertos extranjeros.

Oración condicional	Oración principal
1. Condición probable o posible de cumplir: *Si* + presente de indicativo + presente de indicativo/futuro/imperativo *Si el producto es bueno, lo vendes fácilmente. (acción general o habitual)* *Si el producto es bueno, lo venderás en la próxima feria comercial. (acción que puede ocurrir)* *Si el producto es bueno, anúncialo. (expresa una petición o un consejo)*	
2. Condición poco probable o imposible de cumplir: *Si* + imperfecto de subjuntivo + condicional simple *Si vinieras a Segovia, te invitaría a comer a mi restaurante favorito. (poco probable)* *Si tuviera vacaciones, me iría de viaje. (imposible, porque no tengo vacaciones)*	
3. a) Condiciones imposibles de haberse cumplido: *Si* + pluscuamperfecto de subjuntivo + condicional compuesto *Si hubieras venido a Segovia, ahora la conocerías. (condición imposible actualmente porque no se cumplió en el pasado una condición previa)*	
b) Se usa para presentar una realidad diferente a lo que pasó en realidad: *Si* + pluscuamperfecto de subjuntivo + condicional compuesto/pluscuamperfecto de subjuntivo *Si hubieras venido a Segovia, te habría invitado/hubiera invitado a cenar en el mejor restaurante de la ciudad. (algo no ocurrió en el pasado porque no se cumplió una condición previa)*	

Gramática

Para expresar condiciones imposibles de cumplirse, hacen falta el pretérito pluscuamperfecto de subjuntivo y el condicional compuesto.

Pretérito pluscuamperfecto de subjuntivo		
hubiera		
hubieras		
hubiera	+	cant-ado
hubiéramos		com-ido
hubierais		sal-ido
hubieran		

Condicional compuesto		
habría		
habrías		cant-ado
habría	+	com-ido
habríamos		sal-ido
habríais		
habrían		

Forma: el pretérito pluscuamperfecto de subjuntivo se forma a partir de *haber* en pretérito imperfecto de subjuntivo + participio pasado del verbo.

Forma: el condicional compuesto se forma a partir de *haber* en condicional + participio pasado del verbo.

Ejemplo: Si hubieras cantado aquella noche, habría ido a escucharte.

1 Oraciones condicionales
Elija la opción correcta.

1. Si la empresa *reduce/redujera* el coste de sus productos, entrará en una guerra de precios.
2. Si la familia no *fuera/es* propietaria de casi el 70 % del grupo, los inversores institucionales cambiarían al máximo ejecutivo del grupo.
3. Si *estudiaras/estudias* demasiado un proyecto, perderás la oportunidad de llevarlo a cabo.
4. Si *montara/hubiera montado* un negocio de turismo vacacional o cultural, le habría ido mejor.
5. Si *consigues/hubiéramos conseguido* entradas para el concierto, ahora no tendríamos que esperar a que salga la crítica en el periódico para saber cómo ha ido.
6. Si *sabe/supiera* lo que nos cuesta seguirle cuando habla tan rápidamente, seguro que intentaría hablar más despacio, pero como nadie se lo dice…
7. Si *puedes/pudieras* modificar la filosofía empresarial de tu empresa, ¿qué cambiarías?
8. Si *logras/lograras* los mismos beneficios en tu empresa trabajando con 5000 empleados o con 100, ¿qué preferirías?
9. Si el avión no *saliera/hubiera salido* con tanto retraso, habríamos llegado a tiempo a la conferencia.
10. Si *leyeras/lees* cada día las ofertas de empleo, encontrarás algo que te interese.

2 Si pudiera, trabajaría menos
Complete las frases con los verbos en imperfecto de subjuntivo y condicional.

Si aumentaran las exportaciones, se podría equilibrar la balanza de pagos.

1. Si (fusionarse) ………………… las dos empresas, Javier Toledo (concentrarse) ………………… en la presidencia del grupo industrial y Rosa Pamies (hacerse cargo) ………………… de todo el negocio bancario.
2. Solo (comprar, ellos) ………………… una franquicia española, si esta (tener) ………………… un precio asequible.
3. Si Mario Gomis (estar) ………………… dispuesto a retirarse como director de ventas, Eulalia Fuster (ocupar) ………………… el puesto.
4. Si las negociaciones (ser) ………………… rápidas, el acuerdo (conseguirse) ………………… antes del verano.
5. Si la importación de sus productos (exigir) ………………… enormes cantidades de recursos, (tener) ………………… que buscar socios en esos países.
6. Si le (conceder) ………………… el crédito, (poder) ………………… montar el negocio.

3 ¿Poco probable o imposible?

Complete las frases con los verbos en imperfecto de subjuntivo y continúelas usando el condicional.

1. Si (tener) .... menos reuniones,
....

2. Si (trabajar) .... en una multinacional,
....

3. Si (dejar) .... de trabajar,
....

4. Si (ser) .... más sociable,
....

5. Si no (estar) .... capacitado para ese puesto,
....

6. Si me (interesar) .... más por mis empleados,
....

7. Si no (dedicarse) .... a la importación,
....

8. Si (decidir) .... cambiar radicalmente mi vida,

4 Diálogos con condiciones

Complete los diálogos con imperfecto de subjuntivo o pluscuamperfecto de subjuntivo y con condicional simple o compuesto.

1. –¿Por qué no vienes conmigo a la conferencia?
   –Me gustaría, pero no puedo, si no me (esperar, ellos) .... en mi oficina, (ir, yo) .... contigo.

2. –A pesar de lo que me dijiste sobre la próxima fusión…
   –Sí, sí, ya veo que no te fías de mí. Mira, si no lo (saber, yo) .... con tanta certeza, no te lo (decir, yo) ....

3. –¡Uf! Tengo que irme en seguida, el próximo tren pasa dentro de media hora.
   –Espera un momento, si (poder, tú) .... esperar a que acabara este informe, te (acompañar, yo) ....

4. –No sé como los directores no ven los problemas que se nos vienen encima.

–Es que ellos están con la cabeza en otros temas más urgentes, si (darse cuenta, ellos) .... de las repercusiones de la huelga, (poner, ellos) .... los medios para evitarla.

5. –Jamás pensé que íbamos a necesitar conocimientos de publicidad para llevar a cabo este proyecto.
   –Tienes razón, si (saber, nosotros) .... más sobre todo ello, nos (ser, nosotros) .... fácil llevarlo a cabo.

6. –¿Sabes que Juan Roig quiere abrir este año 100 tiendas nuevas?
   –Sí, lo leí en *Nuevo Trabajo*. Desde luego si (aceptar, yo) .... el empleo que me ofreció, (ocupar, yo) .... un puesto de trabajo más estable, pero no acepté.

5 Consecuencias en cadena

Completa las frases con el verbo adecuado.

Ejemplo. 1. Si en las empresas los empleados <u>se asignaran</u> su propio salario, todo el mundo estaría contento.

2. Si los empleados .... satisfechos, no habría huelgas.

3. Si no .... huelgas, la productividad alcanzaría mayores cotas.

4. Si se .... tasas mayores de producción, se obtendrían más beneficios.

5. Si se .... mayores ganancias, las compañías dedicarían grandes sumas de dinero a I+D.

6. Si las partidas que se .... a la investigación .... considerables, nuestro país se encontraría entre los más innovadores del mundo.

Conclusión: Si en las empresas los empleados <u>se asignaran</u> su propio sueldo, nuestro país se encontraría entre los más innovadores del mundo.

Taller de...

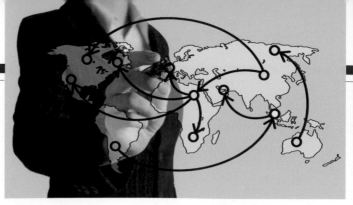

1 Aproximación al mercado español

Un exportador argentino desea realizar una primera aproximación al mercado español.
Relacione cada pregunta con su respuesta.

1. ¿Qué posibilidades tengo para vender mi producto en España?	a) Muchos países utilizan un sistema uniforme de clasificación arancelaria de productos (8 o 10 dígitos). Las partidas arancelarias argentina y española coinciden en los seis primeros dígitos. Esta información está disponible en el portal de la Agencia Española de Administración Tributaria, www.agenciatributaria.es
2. ¿A quién me puedo dirigir para obtener información sobre el mercado español?	b) Las estadísticas del comercio exterior español se pueden obtener en el Instituto Español de Comercio Exterior: www.icex.es; en el Consejo Superior de Cámaras de Comercio: www.camaras.org; o en la Aduana española: www.agenciatributaria.es. Si su producto no figura en las importaciones puede significar que el mercado local se autoabastece. Se aconseja averiguar quiénes son los principales fabricantes para evaluar la competencia en el mercado interno y también para individualizar posibles compradores. La relación de fabricantes españoles está en la página del ICEX: www.icex.es.
3. ¿Cómo identificar mi producto y el tratamiento arancelario en el mercado español?	c) España es un mercado de más de 47 millones de habitantes con 504 750 km² de superficie y climas y regiones geográficas diversos. El Estado se organiza territorialmente en 17 comunidades autónomas (CC. AA.), provincias y municipios. Puede acceder a ellas a través de www.lamoncloa.gob.es, el portal de la presidencia del Gobierno español.
4. ¿Dónde obtengo los datos de importaciones y los países proveedores?	d) Las ferias españolas especializadas congregan un alto número de participantes y visitantes. Es aconsejable realizar una buena selección y visitar alguna de ellas para investigar las ofertas, demandas y condiciones del mercado. En www.afe.es (Asociación de Ferias Españolas) hay una relación completa y actualizada de ferias españolas.
5. ¿Por qué participar en una feria o exposición? ¿Cómo conocer las ferias españolas?	e) La fundación Exportar ofrece información sobre los principales mercados de exportación para los productos argentinos. Con sede en Buenos Aires, cuenta con una red de oficinas y delegaciones en las principales ciudades del interior del país. En su web www.export.org.ar figura también el calendario oficial de participación en ferias internacionales en el exterior. Otro sitio que posee información arancelaria por producto es www.taric.es.

Adaptado de *www.portalargentino.net*

1	2	3	4	5

2 Incoterms

Las siguientes siglas pertenecen a los *Incoterms* más utilizados. Relaciónelas con su significado.

| EXW | FOB | FAS | CFR | DAF | CIF |

- [ ] Free Alongside Ship/Franco al costado del buque
- [ ] Delivered at Frontier/Entregada en frontera
- [ ] Cost, Insurance and Freight/Coste, seguro y flete
- [ ] Cost and Freight/Coste y flete
- [ ] Ex Works/En fábrica
- [ ] Free on Board/Franco a bordo

De interés

Los *Incoterms* son normas internacionales que regulan las condiciones del comercio internacional. Su objetivo es establecer criterios sobre la distribución de los gastos y la transmisión de los riesgos entre la parte compradora y la vendedora de un contrato de compraventa internacional.

3 Normas internacionales

Ahora relacione cada sigla con su explicación.

1. ....: El vendedor cumple su obligación de entrega cuando pone la mercancía, en su establecimiento, a disposición del comprador. Se podrá establecer en el contrato la obligación del vendedor de cargar la mercancía en el medio de transporte utilizado.

2. ....: El vendedor cumple con su obligación de entrega cuando la mercancía está al costado del buque. El comprador debe pagar todos los costes y riesgos de pérdida o daño de la mercancía desde ese momento. El vendedor debe despachar la mercancía en aduana para la exportación. Solo para transporte por mar o vías acuáticas interiores.

3. ....: El vendedor cumple con su obligación de entrega cuando la mercancía ha sobrepasado la borda del buque en el puerto de embarque convenido. El vendedor debe despachar la mercancía de exportación. El comprador selecciona el buque, paga el flete marítimo y se encarga de los trámites para la exportación.

4. ....: El vendedor despacha la mercancía en la aduana para la exportación y paga los gastos y flete para que la mercancía llegue al puerto de destino convenido. El riesgo de pérdida o daño de la mercancía es del comprador cuando la mercancía está en el buque, en el puerto de embarque. El comprador es responsable del seguro.

5. ....: El vendedor tiene las mismas obligaciones que bajo CFR, pero, además, ha de contratar y pagar un seguro marítimo de cobertura de los riesgos del comprador de pérdida o daño de la mercancía durante el transporte.

6. ....: El vendedor cumple su obligación de entrega, cuando, una vez despachada la mercancía en la aduana para la exportación, la entrega en el punto y lugar convenidos de la frontera de destino, sin descargar ni realizar el despacho de importación. Solo para tráfico terrestre.

Step Two, S. A., creadora de la marca Imaginarium   Imaginarium ®

Tradicionalmente, la industria juguetera ha sido uno de los sectores industriales más importantes de España. ¿Conoce alguna marca de juguetes española?

1 Imaginarium

Lea el siguiente artículo sobre Imaginarium y conteste las preguntas.

La compañía Step Two, S. A., más conocida por su marca comercial Imaginarium (ubicada a las afueras de Zaragoza), ocupa 15 000 m², de los que el 90 % son naves industriales donde se empaquetan y almacenan los productos antes de enviarlos a cualquiera de las 414 tiendas que tienen por el mundo. De hecho, el buen funcionamiento de la red de distribución es clave para el éxito de la empresa, ya que el *stock* de sus establecimientos es limitado.

Imaginarium se fundó en 1992 «con muy pocos medios y muchas ganas», explica Félix Tena, su presidente, pero con una mentalidad muy muy clara: construir una cadena de tiendas especializadas en juguetes. Al principio, les costó dar con el juguete, pero los aciertos fueron muy superiores a los errores y prueba de ello es la rápida expansión: en 1994 ya contaban con 9 establecimientos propios. Es entonces cuando decidieron franquiciar la marca en España, así que establecieron un sistema mixto para maximizar su capacidad de crecimiento y mantener el control sobre la empresa «gracias a un modelo de franquicia muy estructurado y exigente».

Curiosamente, la internacionalización de Imaginarium responde más a una demanda existente en otros países que al planteamiento inicial de la empresa de exportar la idea. La primera solicitud llegó desde Portugal en 1995 y un año después, Step Two desembarcó en las Américas, empezando por Colombia. En la actualidad, la empresa opera en 28 países distintos.

A la hora de decidir el modelo de entrada en un mercado tienen en cuenta principalmente dos factores: primero, si se trata o no de un país estratégico para la compañía, y segundo, si la complejidad del mercado aconseja buscar un socio e introducirse mediante una franquicia maestra o directamente a través de filiales. Un ejemplo del primer caso es Iberoamérica, donde Imaginarium está presente en 12 países de la región. El desarrollo en Europa ha sido lento, en gran medida porque se ha hecho a través de tiendas propias, con una serie de dificultades añadidas. Asimismo, ha puesto su pie en Hong Kong como primer paso para «atacar» el mercado chino.

El pilar maestro de Imaginarium es el valor añadido, o sea, la filosofía que imprime a sus productos: juguetes con una serie de conceptos segmentados por edades con el fin de estimular al niño en su crecimiento. Si se suma una estética específica, da como resultado un tipo particular de juguete muy identificado con su marca y orientado hacia un cliente con un nivel cultural y económico alto. Más del 90 % de los productos de Imaginarium se vende en cualquiera de sus tiendas en el mundo, ya que «satisfacen las mismas necesidades» independientemente de las características de cada sociedad.

Adaptado de El Exportador

1. ¿Por qué es importante la red de distribución de Imaginarium?
2. ¿Cómo surge y por qué la idea de franquiciar la marca?
3. ¿Qué significa que el juguete tiene un «valor añadido»?

La clave del éxito

2 Imaginaciones

Conteste las siguientes preguntas.

Entre en www.imaginarium.es para conocer mejor esta empresa española.

1. ¿Conocía usted Imaginarium? En caso afirmativo, explique su experiencia si ha visitado alguna de sus tiendas. ¿Qué es lo que más le llamó la atención? En caso negativo, ¿cómo se lo imaginaba?

2. ¿Qué destacaría usted de la pantalla inicial del sitio?

3. En su opinión, ¿a qué tipo de cliente cree que se orienta el sitio web? Justifique su respuesta.

Datos de la compañía

Navegue por www.imaginarium.es y complete la tabla.

	Respuesta
Los dos objetivos fundamentales de la empresa son:	
¿Qué opciones de trabajo se ofrecen?	
Además de juguetes, ¿qué otras líneas de productos se ofrecen?	
¿Qué nombre recibe la tarjeta de fidelización?	
¿Tiene Imaginarium alguna tienda en su país? En caso afirmativo, ¿en qué ciudades?	
Visite el sitio web de otro país (o de su país de origen, si existe). ¿Observa alguna diferencia con respecto a la web española?	

Conozca mejor la empresa

Imaginarium ha basado su expansión internacional a través de un programa de franquicias internacionales. Usted desea abrir una tienda de esta marca en un país en el que actualmente no se encuentra la cadena.

Deberá:

● Elegir un país donde Imaginarium no está presente en este momento.

● Preparar una breve propuesta para el Departamento Central de Expansión, a quien deberá convencer para conseguir la master franquicia, modalidad de franquicia utilizada en nuevos mercados para la cadena. Su propuesta deberá incluir:

  –La descripción de su perfil como franquiciado.

  –Los motivos por los que desea abrir una tienda Imaginarium en el país elegido.

  –Las características del mercado potencial en ese país.

  –Los productos Imaginarium que piensa que tendrán más posibilidades de éxito en este nuevo mercado.

Acción oral

Usted y su compañero son socios de una empresa líder en su sector que fabrica y comercializa un artículo de gran consumo. Hace unos meses tomaron la decisión de dar el salto al exterior.

En parejas

Vamos a exportar

Elijan cada uno la fórmula (**A.** o **B.**) de distribución que prefieren para trabajar en el mercado exterior.

A. Distribuidor: intermediario-cliente que compra los productos y los vende dentro de una determinada zona geográfica, estableciéndose una serie de pactos entre el exportador y el distribuidor para organizar dicha labor. Opera por su propio riesgo dentro de los límites establecidos en el contrato.

B. Agente de exportación: profesional independiente que opera por cuenta de una empresa en virtud de un poder o contrato, sin asumir personalmente responsabilidad frente al cliente. Solo obligará a la empresa en función del contrato establecido. Busca proveedores a los exportadores y suele residir en el país del importador.

Grupos de trabajo

Presente su opción

Estudie las ventajas y desventajas de la opción que ha elegido.

A Usted prefiere la opción A y su socio, la B

Ventajas importador-distribuidor

1. Los costes estructurales en el país del distribuidor corren a su cargo.

2. La empresa exportadora tiene un **único cliente** que asume los riesgos de crédito de todas las ventas.

3. El distribuidor mantiene un *stock* de **producto**. Por tanto, acerca el producto al mercado.

4. El distribuidor, normalmente, realiza **servicio posventa** para los clientes.

5. Se hace cargo de la mayor parte del **trabajo operativo** sobre el mercado con el consiguiente ahorro en tiempo, dedicación y costes administrativos.

6. Cabe la doble opción: **exclusividad o no exclusividad**. Normalmente se inicia sin exclusividad o con exclusividad limitada y, si el distribuidor da buenos resultados al exportador, se le «premia» con la exclusividad. Le ayuda a desarrollar una clientela específica para su cliente.

Desventajas agente de exportación

1. Normalmente, **la clientela es del agente** y no del exportador, ya que es él el que capta y da seguimiento a los clientes.

2. Los agentes comerciales **no suelen prestar servicios posventa** a los clientes. La responsabilidad es del exportador.

3. Los agentes son profesionales independientes y **organizan su forma de trabajo**. No suelen permitir a los exportadores que les «organicen» su propia función.

4. **Dificultad de control sobre la eficacia real del agente**. El agente podría cambiar hacia otro fabricante, ya que, al estar más cerca de los clientes, puede llevar el producto de otro competidor y hacernos abandonar con rapidez el mercado.

B Usted prefiere la opción B y su socio, la A

Ventajas agente de exportación

1. Menor coste de introducción.

2. En principio, es una fórmula reversible.

3. Diversificación de ventas.

4. Posibilidad de iniciar los contactos en el mercado de destino con rapidez.

5. El exportador mantiene el control sobre su política de marca y sobre la logística hasta el punto de entrega final.

6. La relación jurídica entre el exportador y el agente comercial no es laboral.

Desventajas importador-distribuidor

1. La utilización de un distribuidor supone un **recargo de coste** (de distribución) importante sobre su producto. Puede que este recargo le saque a usted del mercado.

2. El distribuidor puede que le oculte cuidadosamente el **destino** de su producto y, en consecuencia, usted no disponga ni de conocimiento ni del control sobre la clientela de su producto en dicho país.

3. Si la empresa dispone de una **política de marca**, puede que el distribuidor la altere en cierta medida en el mercado de destino, con el objeto de mantenerse para sí una seguridad sobre el control de ese mercado.

4. Un distribuidor generalmente lleva **otros productos** y fabricantes, y puede que la atención y el tiempo que le dedica a la empresa no sean los que él requiera y desea.

5. **El distribuidor actúa con total independencia.** Débil control de la **fuerza de ventas** aunque podría ser aumentado mediante pactos comerciales.

- Explique a su socio qué opción ha escogido y justifique su elección.
- Defienda su opción y las ventajas y desventajas de la misma.
- Llegue a un acuerdo con su socio sobre qué estrategia elegir.

Entrevista con

su opinión

¿Qué estrategias seguiría usted con un cliente a la hora de exportar?

PISTA 10

El señor Torres, de la empresa vinícola española Miguel Torres S. A., empresa líder en el sector, tanto en comercio interior como exterior, nos concedió la siguiente entrevista:

PREGUNTA 1 ¿Podría decirnos cuál ha sido su estrategia a lo largo de estos años?

Escuche la respuesta y tome notas de la estrategia que ha seguido el señor Torres. ¿Coincide con la suya?

PREGUNTA 2 ¿Ha cambiado ahora su estrategia?

Escuche la respuesta a la segunda pregunta y resúmala con las siguientes palabras.

controlar, producir, retirar, investigar, superar, ser pioneros, tener relación directa

PREGUNTA 3 ¿Qué barreras se encuentran a la hora de entrar en otros países?

Escuche la respuesta a la tercera pregunta y señale si son verdaderas o falsas las siguientes afirmaciones.

	V	F
1. Los aranceles en EE. UU. son muy elevados.		
2. Algunos países, como China, son muy favorables a la importación.		
3. Fue realmente sencillo romper las barreras culturales.		
4. Tradicionalmente se pensaba en la superior calidad del vino francés en comparación al español.		

PREGUNTA 4 Usted ha dicho que Torres es una empresa familiar, ¿va a cambiar?

Escuche la última respuesta y complete el texto con las palabras que faltan.

No, aunque ahora haya habido cambios en la (1) ...., ya que el (2) .... de mi padre como (3) .... ha sido sustituido por un (4) .... formado por (5) ...., (6) ...., (7) ...., vocales y secretario, no tenemos (8) .... de cambiar. No vamos a (9) .... en la Bolsa, por ejemplo, ni vamos a pedir (10) .... Todo eso sería salir de nuestro concepto de (11) .... Vamos a (12) .... dentro de nuestras propias (13) ....

léxico

SUSTANTIVOS

aduana, la ....

agente de aduanas, el/la
....

agente de exportación, el/la
....

arancel, el ....

barrera, la ....

cámara de comercio, la
....

certificado de origen, el
....

clientela, la ....

comercio exterior, el ....

compraventa, la ....

crecimiento, el ....

derecho arancelario, el
....

dificultad, la ....

exclusividad, la ....

expansión, la ....

exportación, la ....

fabricante, el ....

factura proforma, la ....

flete, el ....

franquicia, la ....

frontera, la ....

importación, la ....

impuesto, el ....

incidencia, la ....

incremento, el ....

integración, la ....

internacionalización, la
....

introducción, la ....

libre circulación, la ....

logística, la ....

logro, el ....

mano de obra, la ....

mercado de destino, el
....

mercado interno, el ....

nave industrial, la ....

pacto, el ....

permiso de exportación, el
....

petición, la ....

recargo, el ....

reducción, la ....

regulación, la ....

riesgo, el ....

saturación, la ....

seguro, el ....

servicio posventa, el
....

tarjeta de fidelización, la
....

trámite, el ....

tratado, el ....

tratamiento arancelario, el
....

valor añadido, el ....

zona geográfica, la ....

VERBOS

agregar ....

almacenar ....

aplicar ....

asumir ....

autoabastecerse ....

ayudar ....

captar ....

cobrar ....

competir ....

congregar ....

constar ....

controlar ....

dedicar ....

empaquetar ....

enviar ....

especializarse ....

evaluar ....

exporta ....

importar ....

integrar ....

invertir ....

investigar ....

legalizar ....

maximizar ....

operar ....

proteger ....

retirar ....

ADJETIVOS

actualizado/a ....

aduanero/a ....

arancelario/a ....

asalariado/a ....

estratégico/a ....

favorable ....

franco/a ....

internacional ....

legal ....

mercantil ....

nacional ....

Banco de España, Madrid

FUNCIONES

- Dar la palabra al interlocutor.
- Aconsejar.
- Introducir una explicación.
- Mostrar extrañeza.

GRAMÁTICA

- Oraciones de relativo.
- Oraciones causales.

LÉXICO

- Banca y banco.

- Tipos de banco.
- Cuentas bancarias.
- Préstamos.
- Tarjetas de crédito.

ES NOTICIA

- BBVA.

Nivel B2

La banca 6

Conceptos del tema

- ¿Podría definir qué es una *institución financiera*? ¿Cuál es su función? ¿Qué tipos hay?

- ¿Cuáles cree que deben ser las prioridades de las instituciones financieras para tener éxito?

- ¿Podría explicar la diferencia entre *banca* y *banco*?

- ¿Qué servicios, de su actual banco o caja de ahorros, utiliza más?

- ¿Qué le gusta más de su actual entidad financiera? ¿Qué cambiaría?

Lea las siguientes definiciones de banco. ¿Está de acuerdo con ellas? Justifique su respuesta.

«Entidad financiera constituida en sociedad por acciones. Según sea su ejercicio mercantil, se le llama agrícola, de descuento, de emisión, de exportación, de fomento, hipotecario, industrial, etc.».

«Establecimiento público de crédito, constituido en sociedad por acciones».

«Institución que realiza operaciones de banca, es decir, es prestataria y prestamista de crédito; recibe y concentra, en forma de depósitos, los capitales captados para ponerlos a disposición de quienes puedan hacerlos fructificar».

«Organización financiera cuya principal función es la intermediación financiera, es decir, obtener (captar) fondos del público mediante diferentes tipos de depósito (productos pasivos) para realizar operaciones de crédito a través de diversas gestiones (productos activos), según las necesidades del solicitante. Los bancos concentran los depósitos de la población y, según las políticas propias y las regulaciones de los organismos, los colocan o prestan a quienes los necesitan para invertir en sus negocios o para aumentar su patrimonio personal, previo análisis de si tienen la capacidad de devolver al banco el capital más los intereses».

VOCABULARIO

1 Pedir un crédito

Defina los siguientes términos y complete las frases. En algunos casos puede ir en plural.

1. La entidad financiera BNUF, especializada en .... y .... hipotecarios para la adquisición de viviendas, se declaró en bancarrota.

2. España, con 43 785 oficinas bancarias, se consolida como el país del mundo con más .... por habitante.

3. El .... nominativo cruzado en su anverso por dos líneas solo puede ser cobrado por otra institución de crédito.

4. ¡Disfrute de las ventajas que le ofrece la .... del Banco Barfar! En ella podrá domiciliar su nómina, pagar todos sus recibos y tendrá una total .... de sus depósitos sin ningún tipo de penalización.

5. En España deben presentar .... cuando proceda las personas físicas con residencia habitual en territorio español.

- cheque
- sucursal bancaria
- préstamo
- cuenta corriente
- liquidez ● crédito
- declaración de patrimonio

2 Definiciones

Relacione cada definición con la palabra adecuada.

a. Talón extendido a favor o a la orden de una persona determinada.

b. Cheque emitido cuando no hay dinero suficiente en la cuenta. También se conoce como «cheque rebotado».

c. Pagar una cantidad de dinero.

d. Remuneración que se paga o se recibe por el uso temporal de dinero.

e. Cantidad de dinero disponible en la cuenta.

f. Recibir dinero o medios de pago (cheque, transferencia, etc.) como contraprestación de una venta o servicio.

g. Persona que presenta un cheque al banco para recibir el importe de dinero que figura en el mismo.

h. Persona que presta o da el aval a favor de otra persona.

i. Talón que solo puede ser cobrado por el tenedor mediante su ingreso en cuenta corriente.

j. Firmar al dorso de un cheque para cobrarlo o depositarlo.

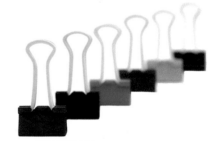

1. cheque sin fondos
2. saldo
3. talón nominativo
4. abonar
5. endosar
6. avalista
7. talón barrado o cruzado
8. portador
9. cobrar
10. intereses o réditos

a.	b.	c.	d.	e.	f.	g.	h.	i.	j.

3 Cobrar un cheque

La señora Bustamante entra en su sucursal bancaria habitual y se dirige a una ventanilla.

Lea el diálogo siguiente y complételo con las palabras de los apartados 1 y 2.

"Sra. Bustamante: Disculpe, vengo a consultar mi (1) .... actual y a cobrar un (2) ....

Empleado: Para cobrarlo primero debe (3) ...., es decir, firmarlo al dorso.

Sra. Bustamante: ¿Ah, sí? Otras veces me han abonado el importe sin tener que firmarlo.

Empleado: Mire, este es un (4) ....

Sra. Bustamante: Es verdad, no me había fijado.

Empleado: Lo siento. No se lo podemos (5) .... Le explico, es un (6) .... y solo puedo ingresárselo en su (7) ....

Sra. Bustamante: ¡Qué raro! ¡En fin! No hay problema. Por cierto, ¿podría hablar con el director?

Empleado: Sí, mire, en ese despacho.

***

Sr. Palacios: Buenos días, señora Bustamante, usted dirá en qué puedo ayudarla.

Sra. Bustamante: Buenos días, señor Palacios. Verá, tengo la intención de montar un negocio, un pequeño restaurante con encanto, y querría asesorarme sobre los trámites necesarios para pedir un (8) ....

Sr. Palacios: Pues, si me permite un consejo, lo mejor es solicitar un (9) .... en lugar de un préstamo. Mire, si el banco le concede un préstamo, pone una cantidad determinada a su disposición y le va a (10) .... por toda esa cantidad sin importar si usted tiene o no la totalidad de lo que pidió. En cambio, en el crédito, el banco pone a su disposición una cantidad de dinero pero solo le va a cobrar por aquello de lo que usted disponga, es decir, por lo que gaste.

Sra. Bustamante: Ya veo. Entonces, ¿qué trámites debo seguir?

Sr. Palacios: ¿Trabaja usted?

Sra. Bustamante: No, actualmente no trabajo.

Sr. Palacios: En ese caso, necesitaríamos saber si usted cuenta con algún tipo de (11) .... o (12) .... solventes. El banco, por su parte, analizará el tipo de negocio para conocer los riesgos que podríamos correr.

Sra. Bustamante: ¿Qué (13) .... tendría que pagar?

Sr. Palacios: Los (14) .... dependen de la cantidad de dinero que usted solicite.

Sra. Bustamante: Creo que lo más adecuado es volver otro día con más calma para puntualizar todos los detalles. Gracias, señor Palacios.

Sr. Palacios: Buenos días, señora Bustamante."

4 Comprobar

PISTA 11

Escuche ahora el diálogo y compruebe si lo ha completado correctamente.

recursos

1 Tome la palabra

Clasifique las siguientes locuciones que aparecen en el diálogo anterior según su función.

si me permite un consejo ● usted dirá ● ¡qué raro! ● lo mejor es ● ¿ah, sí? ● lo más adecuado es ● verá ● le explico

Dar la palabra al interlocutor	Aconsejar	Introducir una explicación	Mostrar extrañeza

2 Más funciones

¿Podría clasificar estas otras locuciones en la tabla anterior?

mire, verá

sería aconsejable

en su caso, lo mejor es

¿de verdad?

¿en serio?

si no le parece mal

me extraña

si fuera usted

usted primero, por favor

3 Ahora usted

Marque la expresión que no pertenece al grupo.

1. Para dar la palabra al interlocutor:
   a) Me imagino que… ☐
   b) Usted primero… ☐
   c) Usted dirá… ☐

2. Para aconsejar:
   a) Lo más adecuado es… ☐
   b) Ahora que lo dice… ☐
   c) Lo mejor es… ☐

3. Para introducir una explicación:
   a) Mire, le explico… ☐
   b) Pues verá… ☐
   c) No parece… ☐

4 Comparte tu experiencia

Lea las frases siguientes y complete el diálogo.

- … con los que te sientas identificado.
- … todos los que nos ayuden…
- … entidad en la que todo…
- … mercados financieros cuyas perspectivas.
- … conocimientos nuevos especialmente en los que puedan…

« Mario Soler: ¿Qué te hizo elegir este trabajo como analista senior de riesgos?

Nacho Cuesta: Presentaba una oportunidad de desarrollo profesional muy interesante. Anteriormente estaba en una gran .... estaba muy automatizado y, al cambiar a una bastante más pequeña, surgen oportunidades para ver una cantidad infinita de productos financieros.

Mario Soler: ¿Qué se necesita para ser un profesional en este campo?

Nacho Cuesta: Lo principal es entusiasmo por el campo de las finanzas. También ayuda el ansia de estar siempre adquiriendo .... aportar innovaciones en productos ya establecidos o en la creación de algo que hasta el momento no haya en el mercado.

Mario Soler: ¿Qué es lo que más destaca en profesionales como tú?

Nacho Cuesta: Creo que una de las cosas que más destaca en este ámbito es el ser competente y el saber trabajar dentro de un equipo, con compañeros de diferentes niveles de conocimientos financieros ....

Mario Soler: ¿Cuál es tu día a día en tu puesto de trabajo?

Nacho Cuesta: El día a día consiste en la revisión de todos los datos de mercado que se utilizan, es decir, de .... a estar al corriente. Es una responsabilidad inmensa, pero muy satisfactoria. El día a día estático es más bien la mínima parte del trabajo, ya que aquí siempre estamos desarrollando formas innovadoras de trabajar en el .... son casi siempre imprevisibles.

Mario Soler: ¿Es la banca un sector muy cambiante?

Nacho Cuesta: El mundo de la banca es precisamente eso, un mundo que se mueve y en el que nada es predecible, por mucho que lo deseemos. »

Las oraciones de relativo

Las oraciones de relativo son aquellas en las que usamos uno de los pronombres de relativo que veremos a continuación y que nos permiten no repetir un sustantivo.

–**Que** es el más usado en español. No varía ni en género ni en número.
El informe que te he entregado es el de Juan.
Puede ir precedido de una preposición en cuyo caso se necesita el artículo correspondiente.
La empresa en la que trabajaba era francesa.

–**Cual** es un pronombre relativo que siempre se utiliza antecedido por un artículo. Varía en género y número. Concordancia en número con el artículo. Concordancia con el antecedente. Con o sin preposición. Su registro es más culto: *el cual, la cual, los cuales, las cuales.*
Nos acompañaba el secretario, con el que/con el cual hicimos amistad.

–**Quien** es un relativo que se utiliza solo para personas. Puede ir precedido de preposición, pero no necesita el artículo como sucede con el pronombre *que.* Puede sustituirse, a veces, por *que.*
El banquero con quien/el que hablé ayer estaba al corriente de todos los asuntos de nuestra compañía.

–**Cuyo** es un relativo con carácter posesivo. Concuerda en género y número con el sustantivo al que precede, por lo que sus formas son: *cuyo, cuya, cuyos, cuyas.*
La persona, cuyo hijo trabaja en el Departamento de Finanzas, se llama Raúl.

Gramática

1 Los pronombres relativos

Complete los breves diálogos con los pronombres relativos adecuados.

por el que ● del que ● cuya ● al que ● por la que ● cuyo ● de los que ● con quien

1. –Te presento a Javier Solís, es el compañero
.... te hablé el otro día.

   –Si, ya recuerdo, eres tú Javier .... le
han dado el puesto de jefe de compras.

   –Sí, soy yo.

2. –No sé la causa .... Guillermo siempre
sabe todo antes que los demás.

   –Creo que es una cuestión muy simple, su padre,
.... hermano es una persona famosa y
adinerada, es el brazo derecho del director general.

3. –El préstamo que pedimos al banco y
.... estamos pagando unos intereses
mensuales no va a ser suficiente para afrontar

todos los gastos.

   –Pues el capital que nos dará el nuevo socio no será
muy elevado.

   –¡Vaya problema!, porque los recursos ....
disponemos serán insuficientes para seguir adelante.

4. –¿Conoces alguna empresa .... sede esté
en Valencia?

   –Sí, sí, creo que Porcelona.

5. –Mañana visitará la empresa el agente comercial
.... mantuvimos una conversación en la feria
de Madrid.

   –¿Es aquel que posee una empresa inmobiliaria?

   –Exacto, ese mismo.

2 ¿Que, el cual, cuyos...?

Elija el relativo correcto.

1. Los españoles somos los europeos *que/cuyos* menos
invertimos y *quienes/los que* tenemos un perfil de
riesgo menos pronunciado.

2. El banco con el *que/cuyo* trabajamos dispone de una
aplicación para SmartTV, *la cual/con la que* se puede
consultar datos, operaciones, movimientos, saldos, etc.

3. Nuestro banco le ofrece el servicio «Contigo», un
asesor personal a distancia *para el que/con el que*
podrá contactar cuando desee y *en quien/del cual*
podrá confiar.

4. Usted escoge de cuánto dinero quiere disponer
al instante. Sin comisiones, sin explicaciones.
Usted decide el plazo *en el que/cuyo* quiere
devolverlo en el mismo momento de hacer la
disposición.

5. Con nuestra red de cajeros, *para quienes/desde
los que* también podrá disponer de dinero en
efectivo, usted accederá a consultas sobre los
movimientos de su tarjeta.

3 La banca privada española

Lea las frases siguientes y complete el diálogo.

1. ... quien señaló durante la entrega que...
2. ... en los que el papel de los asesores...
3. ... desconocía el motivo por el que...
4. ... aspectos que ha valorado más positivamente...
5. ... etapa en la cual todos estudiabais...
6. ... premio del que nos sentimos...
7. ... una persona cuyo trabajo admiro...

Pedro Ramos y Cristina Bueno comentan las últimas noticias sobre una banca privada española.

Pedro Ramos: Me alegro que la Banca Privada Bancesa haya sido elegida por cuarto año consecutivo como la mejor Banca Privada de España.

Cristina Bueno: Se lo merece. Creo que es de los pocos bancos .... es clave y aplica los más altos estándares en su proceso de selección y formación.

Pedro Ramos: Y tengamos en cuenta que también la gestión de la cartera, el control de riesgos, la apuesta tecnológica y la capacidad de innovación son algunos de los .... el jurado de estos premios.

Cristina Bueno: ¿Sabías que el premio lo recogió nuestro compañero de carrera, Francisco Miró?

Pedro Ramos: Sí, justamente lo estaba leyendo y pone: «El galardón fue recogido por Francisco Miró,

.... el firme compromiso de BBVA Banca Privada con nuestros clientes nos ha llevado a conseguir este gran reconocimiento, ... enormemente satisfechos».

Cristina Bueno: Francisco es .... profundamente. Además, es un hombre en el que puedes confiar.

Pedro Ramos: Dímelo a mí que trabajé con él durante la época de estudios.

Cristina Bueno: Recuerdo esa .... sin parar.

Pedro Ramos: Es verdad, y yo .... a ti no te interesaban esas materias económicas.

Cristina Bueno: ¡Cosas de la vida! Ahora estoy todo el día entre números.

Las oraciones causales

Usamos estos nexos: *porque, puesto que, ya que, debido a que* y *como* + indicativo para expresar la causa de la acción o situación expresada en la oración principal. *Como* siempre va al comienzo de la frase.

---

4 Becas, ayudas al estudio y prácticas profesionales
Elija el nexo causal o final que considere adecuado.

Es un programa orientado a complementar la formación de los estudiantes de universidades españolas, acercándoles la realidad del ámbito profesional, *a fin de que/ya que* en un futuro tendrán que trabajar en una empresa. Asimismo esta formación amplía sus conocimientos *puesto que/con vistas a que* conociendo más íntimamente el mundo de la empresa les será más fácil su inserción laboral.

Guillermo Noriega: ¿Quién puede solicitar una beca?

Diego Lasala: Mira, es bastante lógico, estas becas son *para/porque* los estudiantes matriculados en universidades españolas.

Guillermo Noriega: ¿Y con qué estudios puedes optar a la beca?

Diego Lasala: Puedes optar si eres estudiante de Grado o Licenciatura y has obtenido al menos la mitad de los créditos o superado los dos primeros cursos de estudios *con vistas a que/porque* si no es así, no te la concederán.

Diego Lasala: *Como/A fin de que* yo todavía estoy en primero de carrera, no voy a poder pedirla.

Guillermo Noriega: Por supuesto que no.

Diego Lasala: Tendré que esperar un año más como mínimo,

pero, dentro de un par de años, me gustaría obtenerla e ir a una universidad en México, *debido a que/con el objeto de* conozco a buenos profesores allí.

Guillermo Noriega: Yo la solicité el año pasado, estuve en Buenos Aires *a fin de/a causa de* ampliar estudios y fue genial.

Diego Lasala: ¿Cuánto dura la estancia?

Guillermo Noriega: La beca cubre un semestre académico.

Diego Lasala: Si estoy más de seis meses, ¿el importe será mayor?

Guillermo Noriega: ¡Qué va! Siempre te dan la misma cantidad. Ahora creo que son unos 3 000 euros.

Taller de...

1 Las tarjetas de crédito

Lea la siguiente información sobre algunas tarjetas de crédito y complete la tabla.

Tarjeta American Express Gold Credit

Ofrece unas ventajas inmejorables: un TAE del 1,53 %. En caso de robo o uso fraudulento, su responsabilidad será nula si nos avisa de inmediato, y estará limitada a 25 euros en otro caso. Usted decide cuánto quiere pagar cada mes, desde un mínimo de 30 euros o del 5 % del saldo dispuesto. Tiene una cuota anual de 50 euros, pero si su gasto anual con la tarjeta supera los 3 000 euros, la cuota será de 0 euros. Promoción: American Express Gold Credit, sin cuota el primer año.

Tarjeta MBNA VISA

Sin cuota anual, se puede solicitar con independencia de cuál sea su banco. Con un TAE del 1,45 % cuenta, además, con el servicio PuenteCash que le permite transferir dinero extra a su cuenta corriente cuando usted lo necesite (hasta su límite de crédito disponible). Disfrute de hasta 56 días libres de intereses en sus compras siempre que abone puntualmente la totalidad del saldo pendiente cada mes. Promoción: ¡Solicite la tarjeta y llévese un MP3 gratis!

Tarjeta American Express Business PLATINUM

Sin límite prefijado de gasto. En caso de pérdida o robo, dispondrá, en 24 horas, de una tarjeta de sustitución gratuita con una franquicia de 25 euros. Contará automáticamente con un seguro de anulación y de accidente en viajes. El coste anual es de 110 euros y no ofrece servicios de préstamo (tarjeta de cargo). Requiere unos ingresos mínimos de 15 025 euros. Promoción: sin cuota el primer año.

Tarjeta Barclaycard Azur VISA

Con la tarjeta Barclays Azur usted determina cuánto amortiza. Se puede beneficiar de un periodo sin intereses de hasta 59 días tras la fecha de compra con un límite de gasto de hasta 6 000 euros. Puede consultar en todo momento sus transacciones on-line y por teléfono. El coste anual es de 18 euros. Promoción: sin cuota el primer año + pendrive USB.

usted

¿Qué tarjeta elegiría? ¿Por qué?

Tarjeta	1.er año	Cuota tarjeta	Interés	Límite de crédito	Ventajas
American Express Gold Credit	Sin cuota		1,53 %		
MBNA VISA		0		flexible 2 000-5 000	
American Express Business					
Barclaycard Azur VISA					

2 Orden de domiciliación bancaria

Usted desea colaborar económicamente con una fundación, para ello, debe completar el siguiente formulario de orden de domiciliación bancaria con los datos requeridos.

SR. DIRECTOR DE LA OFICINA BANCARIA: Le agradeceré que abone la cantidad que le indico en este impreso de domiciliación, a la cuenta abajo especificada, y con cargo a mi cuenta	
Titular de la cuenta/libreta:	Nombre:
	Apellidos:
C.C.C./ Nº Libreta (20 dígitos):	
Banco o Caja:	
Sucursal:	
Dirección:	
Población:	

INGRESAR en cuenta a favor de la Fundación 2000 (C.I.F.: G - 80585555) en:

☐ Banco de Santander
Plaza de Canalejas, 1.
28014 - Madrid
C.C.C.: 0049-0001-59-281-0010103

☐ Banco de Santander
C/ Hilarión Eslava, 26.
28015 - Madrid
C.C.C.: 0049-4685-04-2793012120

CANTIDAD A INGRESAR
(indique el importe y si desea apoyar a la Fundación 2000 solo 1 vez o de forma periódica)

IMPORTE		FRECUENCIA
Colaborador (entre 6 € y 100 €):	euros	☐ Una vez solamente
Protector (entre 101 € y 600 €):	euros	☐ Mensualmente
Patrocinador (más de 601 €):	euros	☐ Anualmente

(firma y fecha)

3 Amplíe

Relacione los diferentes tipos de bancos con el origen de su capital. Dé ejemplos.

1. Bancos públicos	a) el capital es aportado por accionistas particulares.
2. Bancos mixtos	b) el capital es aportado por el Estado.
3. Bancos privados	c) el capital se forma con aportes privados y oficiales.

4 ¿A qué definición corresponde cada banco?

¿Podría poner un ejemplo de cada uno?

Bancos de emisión ● Bancos centrales ● Bancos especializados ● Bancos corrientes

1. ....: Son aquellos con que opera el público en general. Sus operaciones habituales son: depósitos en cuenta corriente, caja de ahorros, préstamos, pagos y cobranzas por cuentas de terceros, custodia de títulos y valores, etc.
2. ....: Tienen una finalidad crediticia específica.
3. ....: Actualmente se preservan como bancos oficiales.
4. ....: Son las casas bancarias de categoría superior que autorizan el funcionamiento de entidades crediticias, las supervisan y controlan.

BBVA (Banco Bilbao Vizcaya Argentaria) es un grupo multinacional de servicios financieros que cuenta con 95 000 empleados, 35 millones de clientes y 1 millón de accionistas de 32 países. Su modelo de gestión está orientado al cliente y alineado con la sociedad.

1 Banco BBVA

Lea el siguiente artículo y conteste las preguntas.

Sentando las bases de su éxito sostenible

La mezcla de productos innovadores, una gran labor de equipo y un buen servicio a los clientes han mantenido a BBVA en la cumbre del sector de derivados* español, uno de los mercados más competitivos del mundo.

Según el director de Mercados para Europa y Estados Unidos, el éxito de BBVA debe atribuirse a un factor fundamental: los clientes del banco. «Hemos tenido suerte en adoptar, desde el principio, una postura muy centrada en nuestros clientes, quienes han sido muy exigentes y ello ha hecho que nos esforcemos para darles respuesta. Sus necesidades han evolucionado enormemente en los últimos diez años. Hemos tenido que trabajar mucho para asegurar que nuestra capacidad se mantenía a la altura de sus exigencias».

La estrecha relación con sus clientes ha llevado a BBVA a adquirir un conocimiento profundo de las limitaciones y problemas a los que estos se enfrentan y, a su vez, ha proporcionado al banco una oportunidad única para desarrollar soluciones y productos muy innovadores y específicos, lo que les ha permitido reinvertir y seguir aumentando aún más sus capacidades.

Sin embargo, no solo la estrategia anterior explica el éxito del banco. El modelo de negocio de la entidad ha tenido mucho que ver con dicho éxito. El área de Mercados de BBVA es un equipo unido y estrechamente integrado que lo abarca todo, desde la renta variable, el crédito y los tipos de interés, hasta las materias primas. Además, un gestor de relación garantiza que los clientes se encuentren con un único punto de contacto que conoce sus necesidades de forma integrada.

BBVA destaca también porque su negocio de derivados no depende de terceros en lo que respecta al desarrollo de productos. En su lugar, el banco ha evolucionado en su capacidad de actuación, lo que le permite controlar el proceso de diseño, creación y venta de los productos y gestionar los riesgos de este proceso. Todo ello requiere una gran inversión en tecnología, investigación, estructuración y gestión de riesgos, pero también significa que tiene absoluto control y total flexibilidad sobre el diseño y la adaptación de sus productos y servicios a las cambiantes exigencias de sus clientes. El mercado español de inversiones es enormemente competitivo y BBVA ha logrado establecer y mantener su liderazgo mediante una estrecha supervisión, renovación y actualización de su línea de productos.

En un negocio que en España está sumamente reñido, la oferta de BBVA ha destacado gracias al compromiso de servicio completo del banco. «Es la única forma de competir en este negocio que conocemos», añaden desde la entidad. «Y sabemos que nos hace muy especiales».

Derivado: instrumento financiero de gestión de riesgo cuyo valor depende del precio, en el mercado, de contado de un activo (por ejemplo, materias primas).

Adaptado de *Risk España*

1. Enumere los distintos aspectos que hacen de BBVA un banco especial en el mercado de derivados.
2. ¿Qué tipo de relación desea BBVA con sus clientes?
3. ¿Qué ha tenido que hacer este banco para conseguir sus objetivos?
4. ¿Qué caracteriza a BBVA a la hora de desarrollar sus productos?

La clave del éxito

2 BBVA.com

Conteste las siguientes preguntas.

1. ¿Cuáles son los apartados principales de este sitio web?
2. ¿Qué imagen se desea ofrecer?

Entre en www.bbva.com para conocer mejor esta entidad financiera.

3 Datos de la compañía

Navegue por www.bbva.com y complete la tabla.

usted

¿Cree que la relación con el cliente es realmente la clave del «éxito sostenible» de BBVA? ¿Por qué?

	Respuesta
¿Cuáles son sus áreas de negocio?	
¿Cuáles son los cuatro pilares de su posicionamiento corporativo?	
¿Cuáles son las fundaciones de BBVA dentro de su plan de responsabilidad corporativa?	
¿Qué principios de la cultura de BBVA se mencionan en el texto?	
¿En qué países de América del Sur está presente BBVA?	
Entre en un sitio web iberoamericano de BBVA. Enumere tres productos o servicios que ofrece a las empresas de ese país.	
¿Qué es la Ruta Quetzal? ¿Puede usted participar?	

Visite las páginas web de dos países hispanohablantes en los que BBVA está presente. Enumere algunas diferencias y similitudes entre ambas.

4 Conozca mejor la empresa

Desde 1993 BBVA apoya, dentro de su política de Responsabilidad Corporativa, la Ruta Quetzal BBVA, un programa dirigido a jóvenes de 16 y 17 años, para consolidar el intercambio cultural entre todos los países de habla hispana, incluidos Brasil y Portugal. La Ruta BBVA es un viaje que combina la educación en valores, el intercambio cultural y la aventura. Gracias a él, jóvenes de todo el mundo tienen la oportunidad de viajar y descubrir las dimensiones humanas, geográficas, sociales e históricas de otras culturas. La expedición es desde 1990 un programa cultural declarado de «Interés Universal» por la Unesco. La tercera fase en los preparativos de este programa es la Prospección. En ella se determinan los itinerarios definitivos, así como las características técnicas del viaje. Como miembro del equipo que organiza la Ruta BBVA, deberá preparar una propuesta, que presentará después. La propuesta debe incluir:

- El itinerario del viaje (puede incluir uno o varios países iberoamericanos).
- Los servicios de transporte.
- Las visitas durante el viaje. Recuerde que el viaje debe incluir actividades de acción social y solidaria, de intercambio cultural y de aventura.
- La relación de las distintas actividades con los puntos de la política de Responsabilidad Corporativa de BBVA.

Acción oral

¡Prepárese para la acción!

Un número de bancos ha lanzado diferentes campañas de promoción para nuevos tipos de cuentas, en algunos casos muy ventajosas, orientadas a captar clientes que cuentan con una nómina. Lea lo que ofrecen.

Banco 1: En su campaña promocional este banco permite a los clientes que domicilian su nómina beneficiarse de un crédito inmediato gratis, con una tasa anual equivalente (TAE) del 0 % y sin comisiones durante el primer año de vigencia. Se puede optar por renovarlo hasta un periodo de 7 años a un interés fijo del 7,5 %. Además, facilita el paquete de *Cuentas Claras Nómina* de forma gratuita (que incluye el mantenimiento y administración de la cuenta corriente, la cuota anual de la tarjeta de crédito Diez, transferencias y cheques, y la utilización de los cajeros de su red) o un descuento del 50 % en las *Cuentas Claras Extra* (tarjeta Visa gratuita, alertas al móvil, uso de cajeros automáticos, descubierto gratuito de hasta 1 000 euros tres días al mes, y otros servicios de asistencia).

Banco 2: La cuenta nómina de esta entidad no cobra ninguna comisión de mantenimiento ni exige saldos mínimos, tampoco carga comisiones por retirada de efectivo en los cajeros automáticos (sean o no de su red) y evita la devolución de recibos por falta de saldo por un importe de hasta 1 500 euros. Anticipa efectivo en caso de pérdida de la tarjeta de débito en el extranjero y, durante la actual campaña de promoción, regala un cofre de experiencias. Fuera de España no cobra por retirada de efectivo en la red de cajeros de su entidad.

Banco 3: Domiciliar la nómina en esta entidad permite disponer de la tarjeta *Visa Shopping* gratuita, de la cuota del primer año de las tarjetas de débito y crédito, de un seguro de accidentes de 6 000 a 30 000 euros, y de descuentos en otros seguros del hogar o de protección familiar. Además la domiciliación de la nómina conlleva la domiciliación gratuita de recibos y el servicio gratuito de banca a distancia.

Banco 4: Las ventajas de domiciliar la nómina en esta entidad son: disponer por anticipado del sueldo; un seguro de accidentes gratuito; tarjetas gratuitas el primer año; condiciones preferentes en préstamos personales e hipotecas y descuentos del 15 % en seguros del hogar. También se puede acceder a un paquete de servicios –ServiCuenta Nómina– con una tarifa plana más baja.

Grupos de trabajo

Elija la mejor opción

Elija una de las dos opciones, A o B, y prepare su intervención.

A Cliente

Médico especialista en un hospital donde empezó a trabajar hace un par de años.

En ocasiones, por su trabajo, debe viajar al extranjero. Vive con su familia (tiene 3 hijos pequeños) en una vivienda de alquiler, pero en la actualidad están pensando comprarla.

Su nómina y la de su pareja, además de una pequeña cantidad ahorrada e invertida en un fondo de inversión de renta variable, son los ingresos con los que cuenta su familia.

Decide visitar a un asesor financiero para ver qué cuenta puede ser más conveniente para usted.

a) Prepare una lista con posibles preguntas que le interesaría saber sobre esas nuevas cuentas.

b) Escuche las explicaciones de su asesor y tome las notas que considere necesarias.

B Asesor financiero

Va a reunirse con un nuevo cliente que está interesado en saber cuáles son las promociones de los bancos para nuevos tipos de cuentas y aprovecharse de las ventajas que ofrecen. Su cliente desea saber qué cuenta puede ser más conveniente en su situación.

a) Prepare una lista de preguntas para conocer el perfil de su cliente.

b) Explíquele, detalladamente, las características de las cuentas que ofrecen los bancos 1, 2, 3 y 4 y conteste a sus preguntas.

- Decidan qué banco ofrece las mejores ventajas a la hora de domiciliar la nómina teniendo en cuenta las características del cliente.

RECURSOS

Proponer alternativas: *¿no cree que lo mejor es...?, una de las alternativas más convenientes sería, pienso que lo mejor sería, considero que la mejor alternativa es,* etc.

Rechazar: *lo siento, lamento tener que rechazar, lo cierto es que no puedo aceptar,* etc.

Pedir aclaraciones: *¿le importaría volver a repetirme...?, ¿quiere decir que...?, no sé si he entendido bien, pero, eso significa que,* etc.

Entrevista con

su opinión

¿Qué piensa usted de las comisiones que se cobran a los comercios por los pagos con tarjetas de sus clientes?

PISTA 12

"la Caixa" elimina las comisiones en los pagos con tarjeta de menos de 10 euros.

INTRODUCCIÓN Escuche la introducción a la entrevista y complete el texto con las palabras que faltan.

Pagar un café con (1) .... va a dejar de ser misión imposible. "la Caixa" ha comenzado a (2) .... un servicio de pago con tarjeta en los (3) .... que eliminan las (4) .... que tenían que pagar antes a la (5) .... en compras inferiores a 10 euros. De esta forma, se elimina el principal (6) .... por el que bares y otros comercios se negaban a (7) .... pagos con tarjeta por (8) .... cantidades.

PREGUNTA 1 ¿Cuál es el objetivo de la entidad con la puesta en marcha de este nuevo servicio?

Escuche la respuesta y diga cuáles son los tres objetivos que persigue "la Caixa" con este nuevo servicio.

PREGUNTA 2 ¿Cómo se aplicará este servicio y cómo será el proceso?

Escuche la respuesta a la segunda pregunta y señale si son verdaderas o falsas las siguientes afirmaciones.

	V	F
1. Solo las tarjetas de la entidad se beneficiarán de la eliminación de comisiones.		
2. Este servicio solo durará seis meses.		
3. Por cada 200 operaciones, los comercios pagarán 5 euros siempre que los pagos no superen los 10 euros.		
4. La eliminación de comisiones afecta a todo tipo de compras sin importar la cuantía de las mismas.		

PREGUNTA 3 ¿Qué otras ventajas tiene este servicio?

Escuche la respuesta a la última pregunta y resúmala con las siguientes palabras:

agilizar el pago, firma del cliente, coste telefónico, soluciones diferenciadas

léxico

SUSTANTIVOS

ahorro, el ....

anulación, la ....

aval, el ....

avalista, el/la ....

banca a distancia/electrónica, la

....

banco, el

–agrícola

–de descuento ....

–de emisión ....

–de exportación ....

–de fomento ....

–hipotecario

–industrial ....

caja de ahorros, la ....

cajero (automático), el

....

cobranza, la ....

comisión, la ....

crédito, el ....

cuantía, la ....

cuenta corriente, la

....

cuota anual, la ....

custodia, la ....

cheque, el ....

–cruzado ....

–nominativo ....

–sin fondos ....

depósito, el ....

descubierto, el ....

domiciliación bancaria, la

....

dorso, el ....

efectivo, el ....

entidad, la ....

–crediticia

–financiera ....

flexibilidad, la ....

gestor, el ....

hipoteca, la ....

importe, el ....

institución financiera, la

....

instrumento financiero, el

....

interés, el ....

intermediación, la ....

liquidez, la ....

pasivo, e

patrimonio, el

penalización, la ....

pérdida, la ....

persona física, la ....

plan de pensiones, el

....

portador, el ....

prestamista, el ....

préstamo, el ....

recibo, el ....

renta, la ....

–variable ....

–fija

retirada de efectivo, la

....

robo, el ....

saldo, el ....

sucursal, la ....

talón, el ....

tarjeta, la ....

–de crédito ....

–de débito ....

tasa, la ....

titular, el/la ....

transferencia, la ....

ventanilla, la ....

vigencia, la ....

VERBOS

abonar ....

anticipar ....

asesorar(se) ....

aumentar ....

avalar ....

beneficiarse ....

captar ....

cobrar ....

constituir ....

depositar ....

devengar ....

devolver ....

domiciliar ....

emitir ....

endosar ....

fructificar ....

ingresar ....

invertir ....

puntualizar ....

realizar ....

renovar ....

retirar ....

transferir ....

ADJETIVOS

aconsejable ....

bancario/a ....

crediticio/a ....

financiero/a ....

fraudulento/a ....

hipotecario/a ....

inmejorable ....

integrado/a ....

nulo/a ....

reñido/a ....

Bolsa de Madrid

FUNCIONES

- Interrumpir.
- Mostrar escepticismo.
- Pedir confirmación.
- Mostrar certeza.

GRAMÁTICA

- Preposiciones.
- Preposiciones *por* y *para*.

LÉXICO

- La Bolsa.
- Actividad bursátil.
- Inversiones.

ES NOTICIA

- Gowex.

Nivel **B2**

Conceptos del tema

- ¿Cómo definiría usted la *Bolsa*?

- ¿Cree que la Bolsa refleja la economía de un país? Argumente su respuesta.

- ¿Cuántas Bolsas hay en su país? ¿Y en España?

- ¿Sabe lo que es el Ibex 35? ¿Y el Latibex?

De las siguientes definiciones de Bolsa, ¿cuál le parece más acertada?

«... es una institución que refleja la marcha real de la economía. Es un indicador inmejorable de todo lo que ocurre. La subida o bajada en el precio de las acciones no es una casualidad».

«... es un mercado organizado donde se compran y venden títulos-valores de renta variable y renta fija. El término "organizado" significa que está sometido a una legislación y a unos reglamentos y procedimientos específicos».

«... es un juego que consiste en ir pasando de unos a otros una cerilla encendida, hasta que llega a uno que se quema los dedos».

«... es el mercado en el que se compran y venden (se negocian) acciones. En ella concurren los inversores (compradores y vendedores) y los intermediarios financieros».

VOCABULARIO

1 Cotizar en Bolsa

Defina los siguientes términos y complete las frases. En algunos casos puede ir en plural.

1. Aunque durante toda la .... las acciones de Drate siguieron una acusada tendencia a la baja, al final de la sesión se produjo una recuperación de su precio y un aumento del ....

2. Ruteno ha adquirido una participación en torno al 5 % de Hyuan, lo que supone una .... Recordemos que Ruteno compró esas .... en el ....

3. Poco después de las 12:00 h, en los .... del .... , donde cotizan más de 120 empresas, se habían negociado algo más de 110 millones de acciones por un valor de 1 615 millones de euros.

4. En España, los fondos que mayor penetración tienen son los de .... (35,8 %), seguidos por los de renta variable (32,5 %), mixta (24,8 %), los garantizados (10,2 %) y los de gestión alternativa (3,6 %).

- acción • sesión bursátil
- corro • renta fija
- ampliación de capital
- volumen de contratación
- mercado continuo
- mercado de valores

2 Definiciones

Relacione cada definición con la palabra adecuada.

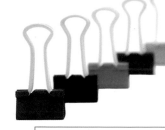

a. Productos (letras, bonos, acciones, etc.) que el emisor utiliza para financiarse. El inversor adquiere estos productos.

b. Precio al que se realiza la compraventa de un valor mobiliario en la Bolsa.

c. Valor de cambio de una acción en la Bolsa.

d. Último precio de compraventa que tiene un valor en la Bolsa antes de cerrar.

e. Lugar público de contratación donde se venden y se compran diferentes activos financieros.

f. Ejecución de una orden de compraventa en el recinto de una Bolsa oficial de Comercio.

g. Acuerdo negociado que obliga a las partes a comprar o vender un número de bienes o valores en una fecha futura y determinada y con un precio establecido de antemano.

h. Momento en que todos los valores pueden contratarse al mismo tiempo.

i. Indica la subida o bajada de la cotización global.

j. Mercado cuyos precios y volúmenes de contratación están en situación de subida o al alza.

k. Valor representativo de una deuda que da a quien lo posee el derecho de obtener un interés fijo durante un plazo preestablecido.

1. Bolsa de valores
2. operación bursátil
3. cotización
4. mercado continuo
5. índice bursátil
6. precio de cierre
7. mercado alcista
8. valor bursátil
9. activos financieros
10. renta fija
11. contrato de futuros

a.	b.	c.	d.	e.	f.	g.	h.	i.	j.	k.

En 1893 se inaugura este palacio de estilo neoclásico en la línea de los otros palacios de Madrid de la época, como el Banco de España, la Biblioteca Nacional, el Museo del Arte Moderno y la Real Academia de la Lengua.

3 Visitar la Bolsa de Madrid

Lea el diálogo siguiente y complételo con las palabras de los ejercicios 1 y 2.

"Guía: Están ustedes viendo el edificio de la Bolsa de Madrid. Como ya saben, en España existen cuatro (1) ....: Madrid, Barcelona, Bilbao y Valencia. Aquí se ve cómo se amasan y pierden grandes fortunas, aunque, por supuesto, tiene un (2) .... superior a otras Bolsas. Ahora asistiremos a una (3) ....

Ramón: Disculpe, ¿hay asignación de tiempo para los (4) .... que se cotizan en Bolsa?

Guía: Antes sí, ahora todos pueden contratarse al mismo tiempo. Es lo que se denomina (5) ....

Ramón: ¿Qué tipo de (6) .... se contratan en Bolsa?

Guía: Vayamos a la sala principal. Allí les expondré todo lo referente a la contratación en los (7) .... Miren, ahí, en ese corro es donde se contratan las acciones de empresas grandes españolas, los cupones en (8) .... y la (9) ...., es decir, el mercado monetario. En aquella pantalla pueden ustedes ver el (10) .... que nos indica la subida o bajada de la cotización global.

Aquellas personas de allí son los *brokers* o agentes de cambio y bolsa. Ahora no vienen mucho porque pueden operar a través de Internet. Estos agentes son los que contratan en el (11) .... por cuenta de otros.

Ramón: Perdón, lo que vemos en ese monitor son las (12) ...., ¿no es cierto?

Guía: Exactamente. También pueden observar el indicador que anuncia cómo va la Bolsa en función de las (13) .... realizadas hoy. Como ven, parece que va bien, pero no hay que ser demasiado optimistas ya que las cosas, en Bolsa, cambian muy rápidamente.

Ramón: Pues parece un buen momento para invertir ahora. ¿Me equivoco?

Guía: Depende. El (14) .... puede ser beneficioso para los inversores, pero nunca se sabe cuánto puede durar esta tendencia al alza y... de todas formas, si están muy interesados, encontrarán esa información en nuestra página web donde, además, podrán consultar el (15) .... de los valores cada día. Eso es todo, muchas gracias por su atención."

4 Comprobar

Escuche ahora el diálogo y compruebe si lo ha completado correctamente.

PISTA 13

recursos

▋ Tome la palabra

Clasifique las siguientes locuciones que aparecen en el diálogo anterior según su función.

¿no es cierto? ● depende ● disculpe ● ¿me equivoco? ● exactamente ● perdón

Interrumpir	Mostrar escepticismo	Pedir confirmación	Mostrar certeza

▋ Más funciones

¿Podría clasificar estas otras locuciones en la tabla anterior?

por supuesto   perdone   no hay duda de (que)   así es   ¿quiere decir que...?

según   desde luego   ¿no es eso?   yo no lo veo tan claro

3 Ahora usted

En cada columna hay una expresión que no corresponde. Márquela y diga qué función tiene.

1. Interrumpir
   a) Depende ☐
   b) Disculpe ☐
   c) Perdón ☐
   d) ¿Puedo preguntar algo? ☐
   e) ¿Puedo interrumpir? ☐

2. Mostrar certeza
   a) Sin duda ☐
   b) Tengo la seguridad de (que) ☐
   c) ¿Verdad? ☐
   d) Claro que sí ☐
   e) Evidentemente ☐

3. Mostrar escepticismo
   a) Según ☐
   b) Depende ☐
   c) ¿Tú crees? ☐
   d) Si tú lo dices ☐
   e) Me parece que no ☐

4 Invertir en Bolsa

Lea las frases siguientes y complete el texto.

- … estar al tanto de las cotizaciones en Bolsa…
- … está asociada a una cuenta corriente…
- … no invertir en un mismo producto…
- … dudas sobre una posible inversión.
- … en lugar de contener dinero contiene acciones…
- … ¿qué debo tener en cuenta?

❝Lucas Padilla: Gabriel, como tú eres un experto en Bolsa, querría que me despejaras algunas ....

Gabriel Santomá: Claro, sabes que últimamente .... es casi como mi profesión.

Lucas Padilla: Pues imagínate que tengo una cantidad importante de dinero para realizar una inversión, ¿por dónde empiezo?

Gabriel Santomá: La mejor forma de invertir en Bolsa es acudir a un intermediario miembro de la Bolsa, puesto que son los intermediarios directos en la inversión bursátil. En primer lugar, deberás abrir una cuenta de valores, que es similar a una cuenta corriente. La única diferencia es que .... u otros valores.

Lucas Padilla: Esta cuenta de valores, ¿está relacionada con la cuenta corriente?

Gabriel Santomá: Claro, cada cuenta de valores ...., que es el lugar donde debe estar el dinero cuando se dé una orden de compra y también donde se ingresará el dinero procedente de la venta de acciones, cobro de dividendos, etc.

Lucas Padilla: Pero, antes de invertir en Bolsa, ...

Gabriel Santomá: Las decisiones de inversión deben ser tomadas teniendo en cuenta algunos factores como la diversificación. Diversificar, es decir, ... o valor.

Lucas Padilla: ¿Qué más te parece crucial que sepa?

Gabriel Santomá: Definir el plazo. Es recomendable plantearse la inversión a medio-largo plazo.

Lucas Padilla: Voy viendo todo esto algo más claro. ¿Seguimos con este tema cuando nos veamos en la reunión del próximo viernes?

Gabriel Santomá: Por mí, encantado. ❞

Preposiciones

- De lugar: *a, de, en, entre, hacia, por, tras.*
- De tiempo: *a, ante, con, de, desde, en, para, por, sobre.*
- De causa: *de, por.*
- De finalidad: *a, para.*
- De compañía: *con.*
- De instrumentación: indican el medio por el que se realiza la acción: *a, con, de, en.*
- De modo: indican la forma en la que se realiza la acción: *a, con, contra, de, en, por.*

Observaciones:

- *Según* es la única que puede combinarse con un verbo: *Según iba subiendo el precio de las acciones, los inversores mostraban su contento.*
- Cuando van seguidas de pronombres personales, estos aparecen en las formas siguientes: *mí, ti, él, ella, usted, nosotros/as, vosotros/as, ellos/as, ustedes:*
  Ha dejado ese informe para ti.
  Excepción: *entre, excepto, según: Excepto tú y yo, todos estaban al corriente de esos cambios. Según tú, deberíamos evitar esos gastos.*
- *Con + mí* y *ti* se transforma en *conmigo* y *contigo.*

Gramática

1 La Bolsa, ¿juegas o inviertes?

Complete las frases con las preposiciones *a, en* y *de* si es necesario.

a) La Bolsa ya no es patrimonio (1) .... una minoría. Muchas familias confían (2) .... las acciones y los fondos (3) .... inversión. Contrastar la seriedad y solvencia (4) .... las empresas y no querer obtener beneficios (5) .... corto plazo son dos premisas básicas que debemos (6) .... tener (7) .... cuenta.

b) Hace 20 o 30 años, si se disponía (1) .... unos ahorros, se iba (2) .... un banco y se efectuaba una imposición (3) .... plazo fijo. Hoy, bajo el mismo supuesto, una buena parte va (4) .... parar (5) .... la Bolsa.

c) Detrás (1) .... la Bolsa hay acciones y, detrás (2) .... ellas, empresas reales. Es recomendable ponerse (3) .... manos (4) ....

profesionales que dediquen su tiempo (5) .... examinar las empresas y señalen las que son serias y solventes, las que no hacen movimientos extraños, las que demuestran tener un sentido (6) .... mercado y cautela (7) .... las inversiones que emprenden con los euros que los accionistas depositan (8) .... sus manos.

d) Una acción tiene un precio que debe calcularse por la rentabilidad que es capaz (1) .... generar y no por lo que los demás piensan sobre si va (2) .... subir o bajar. Lo primero es valorar una realidad, lo segundo es una mera suposición. Lo primero es invertir, lo segundo es especular, jugar.

Adaptado de *La Vanguardia*

2 La preposición adecuada

Complete las frases con las preposiciones *a, ante, contra, de, en, por, según*.

Cada vez más compañías publican memorias (1) .... responsabilidad corporativa y se esfuerzan por presentarse (2) .... la sociedad como responsables, pero ¿tiene ese empeño recompensa (3) .... el valor de la acción? ¿Se traduce en un incremento de ventas? (4) .... Forética, en los últimos cinco años, la facturación de las empresas líderes del Dow Jones Sostenible ha crecido un 11 % (5) .... encima de sus respectivos sectores, aunque advierte que esto responde al comportamiento estelar de algunas compañías. De lo contrario, estaríamos hablando de un 40 % menos que la media. Pero si nos centramos exclusivamente (6) .... los indicadores bursátiles, ser responsable es mejor que no serlo. Las compañías más éticas del mundo tienen un retorno un 35 % mayor que otros índices (7) .... referencia como el S&P 500, (8) .... el último informe de Ethisphere Institute, organismo dedicado a la creación, promoción y difusión de las mejores prácticas en responsabilidad social corporativa, la lucha (9) .... la corrupción y la sostenibilidad.

La preposición *para* expresa o indica las siguientes relaciones:

–Término del movimiento, dirección: *Voy **para** casa.*

–Término fijo o vago de un transcurso de tiempo:
*La reunión se ha fijado **para** el 13 de marzo* (plazo fijo); ***Para** la semana próxima estará finalizado el informe* (expresa cierta vaguedad comparado con la frase *La semana que viene estará finalizado el informe*).

–Destino o destinatario, fin de una acción o de un objeto: *Esto es **para** usted; Objetos **para** oficina.*

–Opinión: ***Para** nosotros, la única opción para seguir adelante es reducir costes.*

La preposición *por* expresa o indica las siguientes relaciones:

–Causa o motivo: *Lo hizo **por** sus compañeros.*

–Periodicidad/frecuencia: *Voy a Madrid dos veces **por** semana.*

–Tiempo aproximado: *La entrega será **por** mayo.*

–Medio de transporte de un envío: *Mandaremos la mercancía **por** avión.*

–Precio o equivalencia: *Vendió la fábrica **por** 200 000 euros.*

–Modo o manera: *Aceptó las condiciones del despido **por** las buenas.*

–Tránsito: *Iremos al puerto y pasaremos **por** la zona franca.*

–Lugar aproximado, cerca de: *Este pueblo está **por** Zamora.*

–Velocidad: *El AVE va a 300 km **por** hora.*

–Medio o instrumento: *El director general de la compañía hablará **por** la radio.*

–Sustitución: *Firma **por** mí* (en lugar/representación/nombre de...); *Hable usted **por** mí* (en favor de...).

–Agente de la voz pasiva: *Se ha convocado **por** el Ministerio de Hacienda una oposición para cubrir 12 plazas.*

3 Exportar rejuvenece a Torras
Lea el siguiente informe y complete con *por* o *para*.

Torras fue fundada en 1890 (1) .... Dolores Torras. Actualmente la compañía tiene en plantilla a 27 trabajadores y es visitada anualmente (2) .... más de 10 000 personas que quieren conocer el proceso de elaboración del chocolate. La dirección general de la firma ha optado este año (3) .... invertir en un nuevo tipo de chocolate: el chocolate sin azúcar.

El buen momento que viven las exportaciones del sector alimentario en España se demuestra (4) .... los resultados registrados el año anterior. «El mercado está pidiendo productos bajos en calorías, pero sin renunciar al sabor y al placer del chocolate», apunta el director general. «(5) .... endulzar el cacao utilizamos el maltitol, un sustitutivo del azúcar». La estrategia de especializarse está siendo todo un éxito (6) .... esta empresa centenaria que pretende darse a conocer (7) .... todo el mundo. (8) .... el próximo otoño, Torras prepara el lanzamiento de una nueva línea de productos. No es la primera ni la última incursión de la empresa en innovación, pues (9) .... el mercado norteamericano ya está fabricando chocolate bajo en carbohidratos o con complementos vitamínicos.

4 ¿Por o para?
Complete los siguientes diálogos con la preposición *por* o *para*.

1. –Lucía, ¿................ quién es este mensaje?
   –Es .... usted, señor Mendoza. Lo estaba esperando, ¿no?

2. –¿................ quién se enteró de la noticia?
   –................ mi jefe.

3. –¿Estáis preocupados .... algo? Os noto algo tensos.
   –Bueno, no es .... menos. Aún no hemos recibido los paquetes y tenemos que comprobarlos antes de mañana .... la mañana.

4. –Creo que los consumidores pueden hacer más .... el medio ambiente que la Administración.
   –Yo también lo veo así.

5. –¿Sabes lo que es una tormenta de ideas?
   –Pues claro, es una técnica de dinámica de grupos .... la producción de ideas nuevas.

6. –Creo que el sector de la construcción no pasa desapercibido .... los analistas de Bolsa.
   –Es verdad, y dentro de este gremio, encontramos a GHS .... sus valoraciones actuales como la opción más atractiva.

7. –¿Ya has decidido dónde invertir?
   –Tengo mis dudas, Lucas. El 36 % de los expertos consultados .... Bloomberg recomienda comprar frente al 59 % que prefiere mantener.

Taller de...

1 Colocaciones léxicas

¿Cuál de los siguientes nombres no podría ir con *bursátil*? Complete el diagrama.

- mundo
- índice
- sesión
- derrumbe
- cierre
- operación
- sonda
- mercado
- valor
- ciclo

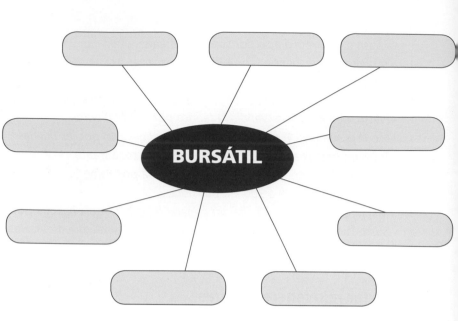

BURSÁTIL

2 Mundo bursátil

Complete las frases con alguno de los términos que han aparecido en el diagrama anterior.

a) El Ibex 35 abre la .... sin cambios. Los valores comienzan el día con alzas generalizadas, a excepción de seis que quedan en negativo.

b) Londres, Fráncfort, París y otras Bolsas europeas retrocedían de forma pronunciada, después del vertiginoso .... registrado por las Bolsas asiáticas.

c) Internet es una de las mejores ventanas para que los ciudadanos se asomen al .... Para el pequeño inversor, nunca había sido tan fácil comprar y vender acciones. *Los brokers on-line* son la herramienta necesaria para realizar las operaciones.

d) Lord Overstone dejó escritas siete palabras mágicas sobre el discurrir de los ....: tranquilidad, mejora, confianza, prosperidad, excitación, convulsión y presión. Los seguidores del banquero dicen que el estado actual es el de confianza.

e) Los primeros CFD (contratos por diferencias) enteramente españoles ya pueden negociarse en la Bolsa de Madrid. Los CFD son contratos entre el inversor y una entidad financiera para intercambiar la diferencia entre el precio de compra y el de venta en una .... La entidad compra los títulos en Bolsa y financia la adquisición y el inversor solo tiene que pagar una pequeña parte de la inversión total.

3 Amplíe

Complete la siguiente tabla.

verbo	sustantivo	adjetivo
invertir		
		fiscal
	contratación	
reembolsar		
		financiero
obtener		
	rentabilidad	
		bursátil
cotizar		

usted

¿Qué le pide a una buena inversión?

4 Una buena inversión

Relacione cada noticia con su titular.

Menos riesgo ● Según sus necesidades ● Ventajas fiscales ● Liquidez inmediata ● Información sencilla y detallada

a) ....
Los fondos que no reparten dividendos van acumulando los beneficios obtenidos, incrementando así el valor de la participación. Usted elegirá el momento más adecuado a su situación patrimonial para retirar los beneficios. Los beneficios no están sujetos a retención fiscal.

b) ....
Por cada operación que se realice, recibirá un resguardo con indicación del fondo adquirido, el número de participaciones objeto de la transacción, etc.

c) ....
Nuestros expertos le aconsejarán según su situación particular, a fin de que la elección sea la más adecuada para usted.

d) ....
Se trata de plantear una diversificación adecuada para obtener la mayor rentabilidad de su inversión, de acuerdo con las condiciones del mercado en cada momento.

e) ....
Los fondos son una forma abierta de inversión. Usted puede solicitar la salida del fondo en cualquier momento. En un máximo de 3 días le será reembolsado el valor de la participación a la cotización del día de la solicitud de reembolso.

5 Profesionales del sector financiero

Lea la definición de los distintos profesionales que trabajan en el sector financiero. Comente con su compañero en qué casos puede ser más ventajoso acudir a uno u otro de ellos.

A continuación escojan una de estas figuras financieras, imaginen una situación donde se requiera consejo y representen el juego de rol.

Asesor financiero
Es una persona con amplia experiencia y conocimiento en los mercados financieros. Para poder ejercer como tal debe estar certificado por alguna instancia nacional. El costo de sus honorarios es elevado, pero su conocimiento y asesoría son invaluables, sobre todo cuando se trata de invertir grandes montos de dinero a un alto riesgo.

Coach financiero
Es un tipo de asesor, que no forzosamente está certificado, pero nos ayuda a poner nuestros presupuestos en orden para cumplir nuestras metas financieras. Se distingue por saber escuchar, ser paciente y utilizar un lenguaje coloquial para hacer más «amables» los temas financieros. Suele ser independiente.

Promotores o vendedores
Son agentes dedicados a la atención al cliente. Lo ideal es que todos ellos estén bien capacitados para poder explicar con detalle al menos los productos financieros que ofrecen en la empresa para la que trabajan. Se enfrentan al famoso conflicto de intereses, pues no siempre lo que más le conviene a un cliente es lo que más comisión le deja al vendedor o agente.

GOWEX primera pyme española que accedió al doble listado *(dual listing)* en Bolsa.

1 Pyme española

Lea el siguiente artículo y conteste a las preguntas.

El cuento de hadas de Gowex

Esta historia parece más propia de Silicon Valley, la cuna tecnológica del mundo, que de Madrid. La empresa española Gowex no nació en un garaje californiano, pero su nombre se ha convertido en una marca tecnológica mundial. Su historia es un cuento empresarial de hadas. El mejor termómetro es su evolución en Bolsa desde que se estrenó en el Mercado Alternativo Bursátil (MAB).

Fundada en los noventa como proveedora de Internet, en 2004 llegó el cambio, cuando surgió la idea de lo que hoy es Gowex. «Imaginamos un Internet que debía ser accesible para

todos, en todas partes, y gratuito para el ciudadano», expresa su consejero delegado. Su despegue fue paralelo al de los teléfonos inteligentes. Creadora de las ciudades wifi, Gowex se hizo con el liderazgo a partir de un modelo inédito, pero efectivo: acuerdos con Ayuntamientos mediante los cuales estos pagaban la infraestructura de las zonas wifi y la firma se hacía cargo del mantenimiento, pagado con ingresos publicitarios. Su entrada en las urbes la realiza a través de colaboraciones público-privadas con Administraciones Públicas y franquicias, asociaciones y empresas de transporte. Unas fórmu-

las que han llevado a la empresa hasta ciudades como París, Dubái, San Francisco, Ningbo (China), Nueva York o Madrid.

La expansión internacional lanzó su negocio y fue decisiva en su evolución bursátil, que fue extraordinaria: la capitalización de la empresa no llegaba a los 200 millones de euros a comienzos de 2013; poco después superaba los 1 100 millones. Ese salto al parqué fue otro de los grandes éxitos de la compañía. El Mercado Alternativo Bursátil (MAB) –la Bolsa de las pymes– fue un trampolín que le dio la notoriedad que necesitaba, así como su cotización en el Nyse-Alternext. Para seguir creciendo, Gowex alcanzó acuerdos con grandes operadores mundiales. Una de sus apuestas fue el proyecto de We2, que lanzó en Nueva York. Se conoce como «wifi social» y permite que los usuarios compartan la conexión. La trayectoria de Gowex es sin duda un ejemplo de éxito empresarial.

Adaptado de *www.abc.es* y *www.elpais.es*

1. ¿Por qué crees que el periodista califica la historia de Gowex de «cuento empresarial de hadas»?
2. ¿En qué dos mercados bursátiles cotizaba Gowex en el 2013? ¿En qué mercado bursátil cotiza en la actualidad?
3. ¿Cuál es la idea principal en que Gowex basa su negocio?
4. ¿Cómo colabora el capital público con el privado en las actividades empresariales de esta empresa?
5. ¿Por qué el «salto al parqué (MAB) fue otro de los grandes éxitos de Gowex»?

La clave del éxito

2 Gowex.com

Conteste las siguientes preguntas.

1. ¿Qué destacaría usted de la pantalla inicial del sitio web?
2. En su opinión, ¿qué información se desea destacar en la página de entrada?

Entre en **www.gowex.com** para conocer mejor a esta pyme española.

3 Datos de la compañía

Navegue por www.gowex.com y complete la tabla.

	Respuesta
¿Qué modelos de creación de redes inalámbricas ofrece la compañía en las ciudades wifi?	
En Wireless Smart Cities (WSC), ¿cuál es la oferta de servicios inteligentes?	
¿Dónde está la sede central de Gowex?	
¿Bajo qué tipo de certificación ISO está Gowex?	
¿En qué valores principales se fomentan las relaciones laborales de la compañía?	
¿Cuál es el lema que guía la responsabilidad corporativa de la empresa?	
¿Cuál es el objetivo de la Fundación Red Sin Fronteras?	

4 Conozca mejor la empresa

Gowex, en el marco de su política de responsabilidad social de la compañía, en este momento colabora con la Fundación Juegaterapia ofreciendo conexión a Internet gratuita para que los niños de un hospital puedan pasar un buen rato navegando y jugando *on-line*. Dado el éxito de esta colaboración, la compañía ha expresado su deseo de repetir la experiencia con colaboraciones con otras ONG.

Deberá preparar para Gowex una propuesta de colaboración con una ONG de su elección. En su propuesta, deberá incluir:
- Nombre y objetivos de la ONG que usted ha elegido.
- Cómo puede contribuir Gowex a los objetivos de esta ONG.
- Ubicación específica (edificio o zona geográfica) donde se centraría la colaboración de Gowex.
- Qué beneficios aportará la contribución de Gowex a los receptores de los servicios de la ONG elegida.

Acción oral

¿Dónde invertimos?

Banco Compartamos www.compartamos.com

Banco mexicano especializado en microcréditos. Actualmente también tiene presencia en Guatemala y Perú. En su página web define su propósito:

«A través de la inclusión financiera de la base de la pirámide en América, aspiramos a generar tres tipos de valor para las personas: valor humano, económico y social».

El Grupo Inditex www.inditex.es

El Grupo Inditex reúne a más de un centenar de sociedades vinculadas con las diferentes actividades que conforman el negocio del diseño, la fabricación y la distribución textil. Según el Dow Jones Sustainability Index -World (DJSI World), Inditex se sitúa entre los líderes en sostenibilidad de su sector a nivel mundial. Su valoración global se sitúa en 81 puntos, frente a una calificación media de 36 para el conjunto de empresas de su sector. Los resultados de Inditex están a la cabeza de su sector en todas las categorías analizadas, siendo particularmente elevados el relativo a la política medioambiental puesta en práctica por el Grupo, los indicadores relacionados con las prácticas laborales y la defensa de los derechos humanos.

MELIÃ
HOTELS & RESORTS

Meliá Hotels International
www.meliahotelsinternational.com

Meliá Hotels International es la compañía hotelera líder en España y una de las más grandes del mundo, con siete reconocidas marcas y más de 350 hoteles en 35 países donde «Todo es Posible».

El Instituto de Turismo Responsable, avalado por la Unesco, concedió a MHI la certificación Compañía Hotelera de la Biosfera.

La consideración de Grupo Hotelero de la Biosfera se otorga a aquellas empresas que fomentan el desarrollo social, cultural, económico y medioambiental de las regiones en las que están presentes.

Prepare una presentación

Usted y su compañero son asesores de inversores no profesionales. Les han pedido que preparen una breve presentación sobre inversión en la que deben dar 5 consejos con los que, en su opinión, el inversor no profesional puede invertir con éxito.

Grupos de trabajo

Elija una de las opciones, **A** o **B**, y tome notas. Después explique a su compañero lo que ha leído.

A Invertir con éxito

Los errores más clásicos de la actividad inversora y cómo evitarlos.

1. **No saber lo que se quiere.** Si se contenta con un retorno del 5 %, ¿por qué tomar un riesgo extra? Establezca límites, clarifique las ideas y facilite la toma de decisiones.
2. **Enamorarse de una acción o una estrategia.** «La acción no sabe que está en su cartera», así que véndala si no cumple con sus expectativas. Esperar a que se produzca una recuperación puede ser sensato si se desea reducir lo perdido, pero vender y buscar una alternativa es una mejor manera de ver crecer de nuevo el dinero.
3. **Cambiar de criterio de inversión según la situación.** «En todos los mercados alcistas, el escepticismo acerca de la subida en vertical de los distintos activos encuentra la misma respuesta: esta vez, es diferente». Cambiar de criterio de inversión en función del viento que más sopla e invertir solo en activos por su tendencia alcista suele comportar cuantiosas pérdidas.
4. **Seguir las modas.** Es la sensación de tener que invertir en ciertos mercados, porque todos lo hacen, como la Bolsa china, *high yield*, materias primas… Y este error se cede a la ambición con el riesgo que ello comporta y se toman de decisiones de inversión con criterios que no son lógicos.

Adaptado de *www.labolsa.com*

B Invertir tras la noticia

Esto es lo que debe hacer:

1. **No se precipite.** No hay que precipitarse a la hora de comprar o vender. «No dé un paso hasta que no tenga datos seguros sobre cómo influye un hecho en una compañía o en el mercado. Es mejor llegar tarde a una subida, pero, cuando compre, hágalo con cierta seguridad de que la subida está fundamentada».
2. **Valore todos los aspectos.** Existen características intrínsecas a las compañías que pueden ayudar a decantarse por una u otra opción. Uno de ellos es el valor de marca de la empresa en cuestión. Son muchísimos los casos en los que la marca ha sido un factor determinante en el éxito de un negocio, con los correspondientes beneficios para sus accionistas. Es evidente que este potencial de la marca solo influirá en las inversiones a largo plazo, pero puede ser un punto de partida que, sumado a los fundamentales y al análisis técnico, ayude a tomar la decisión de por qué empresa invertir.
3. **Revise su diagnóstico.** Consulte a un experto, incluso a varios, antes de tomar una decisión de inversión precipitada.
4. **No sea avaricioso.** En la Bolsa hay una máxima que recomienda que el último euro se lo lleve otro. Muy pocos consiguen invertir en el nivel más bajo y desinvertir en el pico más alto. En la mayoría de los casos, intentar aprovechar toda la subida de un valor o del mercado sale mal. Ya se sabe: la avaricia rompe el saco. Y si se rompe, el dinero se pierde.

Adaptado de *Invertir tras la noticia*, de *Luis M. Lianes*, revista *Emprendedores*

- Seleccionen 5 consejos (de más a menos importante) que deseen incluir en su presentación.
- Preparen la presentación y háganla ante sus compañeros.
- ¿Qué 5 consejos se repiten más en las presentaciones?

Entrevista con

su opinión

¿Qué le parece a usted la idea de una única Bolsa europea?

PISTA 14

José María López-Arcas, agente de Bolsa e inspector de finanzas del Estado, concede una entrevista al periódico *Expansión*.

PREGUNTA 1 Señor López-Arcas, ¿cuál es el contenido de su tesis?

Escuche la respuesta y:

a) Escriba el título de la tesis que el señor López-Arcas ha defendido en la Universidad de Deusto.
b) Describa cuál es el contenido de esta tesis.

PREGUNTA 2 ¿Cómo sería esa única Bolsa?

Escuche la respuesta a la segunda pregunta y señale si son verdaderas o falsas las siguientes afirmaciones.

	V	F
1. Sería internacional.		
2. No contaría con el apoyo de ningún banco.		
3. Estaría conectada con los demás sistemas bursátiles.		
4. No estaría informatizada.		

PREGUNTA 3 ¿Qué títulos cotizarían en esa Bolsa?

Escuche la respuesta a la tercera pregunta y resúmala con las siguientes palabras.

mercado, valores, cotizar, sistemas bursátiles

PREGUNTA 4 ¿Es la Bolsa europea una decisión fundamentalmente política?

Escuche la última respuesta y complete el texto con las palabras que faltan.

No. Esta misma pregunta me la he planteado yo en mi tesis y la respuesta final es (1) ....
La tesis llega a una primera (2) ...., y es que el proceso de (3) .... de los
(4) .... europeos es algo que, aunque no fuera razonable (5) ...., deriva del
proceso de (6) .... Pero también me pregunto si además de esta razón (7) ....,
no existe también una (8) .... sobre la base tanto de la (9) .... europea, como
del problema de afrontar los (10) .... de tantos mercados.

léxico

SUSTANTIVOS

acción, la ....

agente, el/la ....

–de cambio

ambición, la ....

arranque, el ....

bajada, la ....

Bolsa (de valores), la

bolsista, el/la ....

bono, el ....

cartera de valores, la

ciclo, el ....

cierre, el ....

confianza, la ....

contrato de futuros, el

convulsión, la ....

corro, el ....

cotización, la ....

decisión, la ....

derrumbe, el ....

diversificación, la ....

elección, la ....

especulación, la ....

éxito, el ....

expectativa, la ....

fondo, el.................................

–de gestión alternativa

–de renta fija ....

–de renta variable ....

–garantizado ....

–de renta mixta ....

fortuna, la ....

indicador, el ....

índice bursátil, el ....

interés, el ....

inversor/-a, el/la ....

letra, la ....

liquidez, la ....

mercado, el ....

–continuo ....

–de valores ....

–monetario ....

monitor, el ....

novato/a, el/la ....

participación, la ....

peligro, el ....

procedimiento, el ....

recuperación, la ....

reglamento, el ....

renta, la ....

–fija ....

–variable ....

rentabilidad, la ....

retención fiscal, la ....

revalorización, la ....

sesión, la ....

subida, la ....

tendencia, la ....

título-valor, el ....

valor, el ....

volatilidad, la ....

volumen de contratación, el

VERBOS

afrontar ....

amasar ....

contratar(se) ....

cotizar ....

desinvertir ....

diversificar ....

equivocarse ....

facilitar ....

financiar ....

interrumpir ....

invertir ....

negociar ....

operar ....

perder ....

precipitarse ....

reembolsar ....

retroceder...............................

ADJETIVOS

alcista ....

arriesgado/a ....

bajista ....

beneficioso/a ....

bursátil ....

cotizado/a ....

cuantioso/a ....

desconfiado/a ....

especulativo/a ....

optimista ....

patrimonial ....

rentable ....

OTROS

a la baja ....

al alza ....

de antemano ....

Ibex 35 ....

la avaricia rompe el saco

Latibex ....

por cuenta de otros

Sede de la delegación de Hacienda provincial, Ponteved

FUNCIONES

- Retomar un tema.
- Exponer un tema.
- Ordenar una argumentación.
- Indicar la circunstancia del interlocutor.
- Llamar la atención sobre un punto.

GRAMÁTICA

- Estilo indirecto.
- Las oraciones concesivas.

LÉXICO

- Impuestos.

- Tipos de impuestos.
- Expatriados.

ES NOTICIA

- El Centro Interamericano de Administraciones Tributarias.

 Nivel B2

Conceptos del tema

- Defina los siguientes términos y seleccione aquellos que necesitaría para definir *impuestos*.

  dinero, ley, beneficios, tributo, Estado, inversión, contribuyente, riesgo, medios económicos, capital, ingresos, recursos, cobra.

- De las siguientes definiciones de *impuestos*, ¿cuál considera que es la más completa?

«... *dinero que una persona o empresa debe pagar al Estado para contribuir con sus ingresos. Esta es la forma más importante a través de la cual el Estado obtiene recursos para llevar a cabo sus actividades y funciones (administración, inversión social, etc.)*».

«... tributos* exigidos sin contraprestación cuyo hecho imponible está constituido por negocios, actos o hechos que ponen de manifiesto la capacidad económica del contribuyente».

Ley General Tributaria, en su artículo 2.2., letra c)

* *Tributo: obligación económica establecida por Ley.*
En el ordenamiento jurídico español se clasifican en tasas, impuestos y contribuciones especiales.

«... Tributo que se exige en función de la capacidad económica de los obligados a su pago».

Real Academia Española

«... junto con las tasas y las contribuciones especiales configuran los ingresos tributarios, principal fuente de financiación de los Presupuestos de las Administraciones Públicas. En los Presupuestos Generales del Estado representan el 91 % de los ingresos no financieros».

Ministerio de Economía y Hacienda

VOCABULARIO

1 Obligación tributaria

Defina los siguientes términos y complete las frases.

1. Los técnicos de Hacienda reclaman un plan ambicioso de lucha contra el fraude y la ....

2. Las labores de .... del grupo IFRA constituyen un factor crítico para determinar su crecimiento económico y su competitividad.

3. Para una unidad familiar, la .... puede ser ventajosa y permitir un ahorro de dinero, pero solo en algunos casos.

4. Se denomina .... al «conjunto de obligaciones y deberes, derechos y potestades originados por la aplicación de los tributos».

5. Los ayuntamientos tienen derecho a recaudar lo que llamamos .... como: contribución, Impuesto sobre Vehículos de Tracción Mecánica, etc.

6. La Confederación Española de Organizaciones Empresariales del Metal (Confemetal) defiende el introducir .... en el Impuesto sobre Sociedades para conseguir un consumo energético menos contaminante y estimular la inversión en energías renovables.

- deducción fiscal
- impuesto municipal
- investigación, desarrollo e innovación tecnológica
- obligación tributaria
- declaración conjunta
- evasión fiscal

2 Definiciones

Relacione cada definición con la palabra adecuada.

a. Organismo de la Administración del Estado encargado de la gestión, inspección y recaudación de los tributos.

b. Conjunto de principios, instituciones y reglas que determinan, recaudan y gestionan los tributos de un país.

c. Prestación económica.

d. Periodo anual a efectos del presupuesto de la Administración y del devengo de algunos impuestos.

e. Tributo sobre la propiedad urbana o rústica establecido por las corporaciones locales.

f. Persona física o jurídica que paga o debe pagar un tributo.

g. Cantidad que se puede descontar de la cuota tributaria en función de una previa autorización legal.

h. Tasa porcentual que se aplica a la base imponible para obtener la cuota tributaria.

i. Impuesto que grava el valor añadido de cada fase del proceso productivo.

j. Cantidad calculada sobre la que se mide la capacidad de pago del contribuyente.

1. ejercicio fiscal
2. tipo impositivo
3. contribuyente
4. Impuesto sobre el Valor Añadido (IVA)
5. sistema fiscal
6. tributo
7. base imponible
8. contribución territorial
9. deducción fiscal
10. Agencia Tributaria

a.	b.	c.	d.	e.	f.	g.	h.	i.	j.

La señora Vázquez va a visitar al señor Sanz, asesor fiscal, con el fin de que le informe sobre los impuestos relacionados con su empresa.

3 Afincar un negocio

Lea el diálogo siguiente y complételo con las palabras de los ejercicios 1 y 2.

" Sra. Vázquez: Bien, señor Sanz, como ya hablamos la semana pasada, me gustaría que me explicara cómo funciona el (1) .... español. Tal como le comenté, estoy interesada en establecer aquí mi negocio, pero desconozco las (2) .... del Estado español.

Sr. Sanz: Vamos a ver, en primer lugar, tiene que saber que no solo el Estado impone unos (3) ...., también están los (4) .... como el de la (5) .... con el que debemos contar en su caso, ya que usted posee un inmueble en propiedad. Vayamos por partes. En su situación, como se trataría de una empresa ubicada en España, ha de tener en cuenta el Impuesto sobre Beneficios de Sociedades que, tal como su nombre indica, grava los beneficios de las sociedades al final de cada (6) .... con un (7) .... que puede cambiar.

Por otro lado, está el (8) .... cuyo porcentaje depende del producto que se venda.

Sra. Vázquez: Sí, como en mi país. Un aspecto fundamental que no debemos olvidar es el de las (9) ....

Sr. Sanz: Naturalmente. Es un punto que hay que tener en cuenta, pero lo consideraremos más adelante. De momento, le indicaré que, dependiendo de la comunidad autónoma donde afinque su negocio, podría tener una importante (10) .... de sus impuestos por creación de empleo, por (11) ...., por (12) ...., por invertir en zonas de reindustrialización, etc.

Sra. Vázquez: Me veo ya como una (13) .... española. ¿Podríamos vernos la semana próxima cuando tenga más datos de mi socio?

Sr. Sanz: Cuando quiera. Estamos siempre a su disposición. Hasta pronto, entonces. "

4 Comprobar

Escuche ahora el diálogo y compruebe si lo ha completado correctamente.

PISTA 15

5 Amplíe

Complete la siguiente tabla.

sustantivo	verbo	adjetivo
	tributar	
contribuyente		
	recaudar	
		gravado
deducción		
	invertir	

recursos

1 Tome la palabra

Clasifique las siguientes locuciones que aparecen en el diálogo anterior según su función.

por otro lado ● en primer lugar ● vayamos por partes ● vamos a ver ● no debemos olvidar ● como ya ● en su situación ● un punto que hay que tener en cuenta ● tal como

Retomar un tema	Exponer un tema	Ordenar una argumentación	Indicar la circunstancia del interlocutor	Llamar la atención sobre un punto

2 Más funciones

¿Podría clasificar también estas otras locuciones en la tabla?

en su caso   veamos   en su situación concreta   no podemos dejar de lado

no podemos perder de vista   recordemos que   según sus circustancias

debemos considerar

3 Ahora usted

Elija la opción correcta.

1. –.............................., ante todo me gustaría saber si ya se han reunido con el asesor fiscal.
   –Sí, ... usted nos recomendó, señor Marín, ayer estuvimos tratando con él algunas cuestiones fiscales.

   a) Por un lado/debemos considerar
   b) En su situación concreta/según
   c) Veamos/tal como

2. –............................. debemos realizar las deducciones.
   –Estoy de acuerdo. Sin embargo, ... los últimos cambios aprobados por el Gobierno.

   a) Se debe de/no podemos contabilizar
   b) En primer lugar/no debemos olvidar
   c) Recordemos/no hemos de olvidar

3. –Pues aún no me han dicho si tengo que pagar todo o solo una parte.
   –............................. hay que revisar los informes y luego le darán una respuesta.

   a) En su situación
   b) No podemos perder de vista
   c) Se trata de

4 En contexto

Lea las frases siguientes y complete el texto.

- … me dijo que lo pusiera en mi declaración
- … me dijo que sí lo era.
- … te comenté el año pasado que lo hicieras…
- … me dijo que no me reducirían nada…
- … te dije que incluyeras todas…

" Rosario Font: ¡Vaya! La declaración de la renta cada año es más difícil.

Salvador Argilés: ¿Qué te pasa?

Rosario Font: Verás, no sé qué deducciones puedo aplicar en la declaración de este año.

Salvador Argilés: Vayamos por partes, primero las deducciones familiares que, en tu caso, serán las correspondientes a dos hijos.

Rosario Font: Pero el asesor .... por ser mayores de edad.

Salvador Argilés: Es verdad, no me acordaba que los dos son mayores de 18 años.

Rosario Font: Mi madre vive con nosotros desde hace dos años. ¿Esto podría aplicarlo?

Salvador Argilés: Claro que sí. Ya .... así.

Rosario Font: Fabián también ...., ya que la hacemos por separado.

Salvador Argilés: Eso es, tal como lo hiciste el año pasado.

Rosario Font: ¿El Plan de Pensiones también es deducible? Mi compañera de despacho ....

Salvador Argilés: Tiene razón. No debes olvidar firmar todas las páginas. Recuerda que .... las facturas de gastos de promoción.

Rosario Font: Es verdad, ya no me acordaba. "

El estilo indirecto	
Verbo introductor en… • Presente, pretérito perfecto compuesto, futuro *(dice, ha dicho, dirá)*: no hay cambios. • Pretérito perfecto simple, pretérito imperfecto o pretérito pluscuamperfecto *(dijo, decía, había dicho)*: se producen los siguientes cambios:	
Estilo directo	**Estilo indirecto** *(dijo, decía)*
Presente: *Tengo cita en la Agencia Tributaria.*	Pretérito imperfecto: *… que tenía cita en la Agencia Tributaria.*
Pretérito perfecto simple: *Anoche terminé la declaración de la renta.*	Pretérito pluscuamperfecto: *… que la noche anterior terminó/había terminado la declaración de la renta.*
Pretérito perfecto compuesto: *El ayuntamiento ha informado de las fechas de pago.*	Pretérito pluscuamperfecto: *… había informado de las fechas de pago.*
Futuro simple: *Lo terminaré mañana.*	Condicional simple/iba a + infinitivo: *… que lo terminaría/iba a terminar al día siguiente.*
Imperativo: *Ven aquí.*	Pretérito imperfecto de subjuntivo: *… que fuera/fuese allí.*

Gramática

Otros cambios que hay que considerar en el estilo indirecto

Con adverbios de tiempo:

Hoy ▶ Ese día, aquel día: *Hoy tengo prisa.* ▶ *... me dijo que ese día tenía prisa.*

Mañana ▶ Al día siguiente: *Mañana te llamaré.* ▶ *... me dijo que me llamaría al día siguiente.*

Ayer ▶ El día anterior: *Ayer te vi en la calle.* ▶ *... me dijo que me había visto en la calle el día anterior.*

Referencia espacial:

Hay que tener presente la situación espacial de los que hablan.

Aquí ▶ Allí.

Este ▶ Aquel, ese.

Ven aquí. ▶ Me dijo que fuese *allí.*

Verbos que sustituyen a *decir*:

aclarar, admitir, afirmar, agradecer, asegurar, declarar, explicar, indicar, informar, insistir, negar, pedir, precisar, preguntar, repetir, responder, señalar, etc.

1 El estilo indirecto

Lea lo que ha dicho el secretario de Estado de Hacienda y reescriba, en estilo indirecto, su discurso con verbos sinónimos de *decir*.

Las retenciones a cuenta del IRPF bajarán en enero

«Por un lado, habrá una fuerte disminución de las retenciones que se hacen en las nóminas a cuenta del IRPF. Por otro lado, el nuevo reglamento del IRPF entrará en vigor el día 1 de enero con el fin de aplicarlo ya a las nóminas que los trabajadores cobren en ese mismo mes.

Paralelamente al reglamento anterior, Hacienda prepara un decreto por el que se desarrolla la nueva ordenanza de los planes de ahorro para que las rentas disponibles de los contribuyentes se dirijan hacia el ahorro en lugar del consumo.

En los presupuestos del año que viene se contempla un fuerte incremento por el pago de intereses de la Deuda Pública. Ello se debe a que hemos querido pecar de realistas para evitar que se produzcan desviaciones como sucedió en años anteriores. Ello no significa el fracaso del mecanismo que Hacienda ha puesto en marcha para que aflore el dinero negro».

El secretario de Estado de Hacienda infomó que, por un lado...

2 Explicó que...

Transmita los siguientes mensajes sin usar el verbo *decir*.

1. «Nadie debe quedar exento del pago de impuestos. Tampoco las universidades privadas, principalmente las que carecen de certificados de calidad y funcionan como negocios», dijo el presidente de la Comisión Mexicana de Educación de la Cámara de Diputados.

2. «Cuando las familias llegan aquí para obtener ayuda en sus impuestos, nosotros aprovechamos la oportunidad para asistirles a establecer una relación bancaria convencional», dijo el director ejecutivo de la organización Asociación de la Comunidad para las Familias.

3. «El transporte soporta 33 impuestos entre los nacionales, los departamentales y los municipales. En estos últimos tiempos ha sido uno de los sectores más perjudicados respecto a las tasas fiscales», dijo el presidente de una compañía de transportes colombiana.

4. «El papeleo supone uno de los monstruos principales de la planeación y preparación para el año», dijo una asesora fiscal. «Si usted se organiza bien, le será más fácil la tramitación y eso le ahorrará dinero y tiempo».

3 El estilo directo
Ponga en estilo directo los siguientes mensajes. Haga las transformaciones necesarias.

1. El secretario de Estado de Hacienda afirmó que era importante prepararse para el futuro, porque la economía española no iba a crecer indefinidamente y, por tanto, no nos podíamos gastar el dinero alegremente aumentando el gasto.

2. Investigadores alemanes aseguraron que la confianza del consumidor en Alemania subiría impulsada por una opinión favorable sobre la recuperación de la economía y un deseo de gastar dinero.

3. Un teniente de alcalde del ayuntamiento de Barcelona informó que la bajada de impuestos del presente año había sido recibida con agrado por los consumidores.

4. Un extécnico del Real Madrid aseguró a la Federación Inglesa de Fútbol que sus obligaciones fiscales habían estado, estaban y estarían siempre en orden.

5. El secretario de Estado de Hacienda subrayó que si alguien había interpretado ayer que iba a haber grandes rebajas de impuestos se había equivocado.

Las oraciones concesivas

Expresan una dificultad o un obstáculo que no impide que se cumpla lo expresado en la oración principal. En las oraciones concesivas podemos utilizar indicativo o subjuntivo.
Aunque, a pesar de que, por más que, por mucho que, por muy que, etc.

Con indicativo: expresan una realidad.
Voy a ir a trabajar aunque estoy enfermo.
Por más que se esfuerza, no consigue acabar el trabajo.
A pesar de que María se informó del tema, no logró entenderlo totalmente.

Con subjuntivo: expresan una posibilidad o un desconocimiento de la realidad.
Aunque llueva, iremos a pasear.
Por más que lo piense, no encontrará la solución.
A pesar de que tenga mucho dinero, no lo gasta.

---

4 ¿Indicativo o subjuntivo?
Escriba los verbos entre paréntesis en indicativo o subjuntivo.

1. Soledad: Aunque mis compañeros (estar en desacuerdo) .... conmigo en la reunión de ayer, yo me mantuve en mi idea y no modifiqué mis convicciones.
Pilar: Me parece lo adecuado. Muchas veces nos pasa eso, que por más que (intentar) .... convencer a alguien, no lo logramos.

2. Daniela: Por muy competente que (ser) ...., Julián no podrá llegar a todo.
Francisco: Siempre se lo digo y repito, aunque él (estar convencido) .... de que lo conseguirá. Por más que se lo (decir) ...., nunca me hace caso.

3. Natalia: A pesar de que nos (reunir) .... cada día a partir de hoy para discutir el tema, no vamos a ponernos de acuerdo.
Pablo: No seas tan pesimista, yo creo que somos tan eficientes que, por poco que nosotros (esforzarse) ...., conseguiremos buenos resultados.

4. Blanca: Por muy innovador que (ser) .... el producto, no vamos a poder venderlo. No hay mercado.
Almudena: Pues, aunque tú no lo (creer) ...., yo estoy segura de que este artículo tan novedoso va a tener éxito.

Taller de...

1 Los impuestos

¿A qué tipo de impuesto corresponden estas definiciones?

| Impuestos indirectos | Impuestos directos |

a) ....: impuestos que gravan la renta, tanto de las personas físicas como de las jurídicas, en función del principio de capacidad de pago, de forma proporcional o progresiva.

b) ....: impuestos que gravan la producción, el tráfico o el consumo. Son proporcionales y su tipo no depende de las características personales del sujeto pasivo. Los más comunes son los que actúan sobre las ventas, sobre el valor añadido, sobre las transmisiones de bienes, etc.

2 ¿Directos o indirectos?

Según la definición anterior, señale si los impuestos siguientes son directos (D) o indirectos (I).

a) Impuesto sobre la renta de las personas físicas (IRPF) ....

b) Impuesto sobre el valor añadido (IVA) ....

c) Impuesto sobre el patrimonio ....

d) Impuesto sobre sociedades ....

e) Impuesto sobre transmisiones patrimoniales y actos jurídicos documentados ....

f) Impuesto sobre sucesiones y donaciones ....

3 Recaudar fondos

Elija la opción correcta.

1. El Estado ...., por impuestos indirectos, más de 600 millones de euros durante los siete primeros meses del año.

    a) pagó   b) superó   c) ingresó   d) destacó

2. Esto supone un .... del 24,5 % en la recaudación de este tipo de impuestos.

    a) problema   b) incremento   c) crédito   d) impuesto

3. La evolución de los impuestos directos viene determinada por el aumento de la .... del IRPF.

    a) recaudación   b) operación   c) consecuencia   d) duración

4. En cuanto a la recaudación indirecta, el IVA situó su .... de crecimiento anual en el 10,5 %.

    a) capacidad   b) obligación   c) tasa   d) componente

4 Impuesto de sociedades

Escriba, en el lugar correspondiente del siguiente texto, los conceptos que aparecen en el recuadro.

abono ● ejercicio fiscal ● tipo reducido ● entrará en vigor ● periodo impositivo ● beneficios fiscales ● beneficios invertidos ● base imponible

Hacienda mantendrá para el próximo .... la mayoría de incrementos fiscales que se aprobaron para el anterior ejercicio y ampliará los pagos fraccionados incrementados para entidades con una cifra de negocios neta que supere los 10 millones anuales. También .... la decisión de Hacienda de no permitir deducciones en la .... de las pérdidas en el exterior.

Para este año, tendrán vigencia los .... incluidos en la Ley de Emprendedores del mes de septiembre. Por ello, las empresas de reducida dimensión contarán con una deducción por los .... en nuevos elementos de inversiones inmobiliarias ligadas a actividades económicas. Habrá también una medida equivalente para los autónomos que tributan por IRPF.

Otra novedad que hay que destacar la encontramos en las deducciones por I + D + i que podrán aplicarse sin ningún tipo de límite. Asimismo, si la empresa no pudiese beneficiarse de esta ventaja al no registrar beneficios, se podrá solicitar su .... a la Administración en la presentación del impuesto de sociedades.

Por último, seguirá en vigor el .... en el impuesto de sociedades para las empresas de nueva creación que se aplicará en el primer .... en el que la empresa presente beneficios y en el siguiente.

Adaptado de *emprendeconsentido.es*

5 Cumplimentar la declaración de la renta

Lea la siguiente conversación y ordénela.

☐ Recuerda que podemos deducir el importe del impuesto sobre bienes inmuebles.

☐ Bueno, pues primero la tuya.

☐ Creo que sigue siendo más beneficioso no hacer la declaración conjunta sino individual.

☐ Eso hay que ponerlo en rendimientos del capital inmobiliario. Y también el 2 % del valor catastral del piso.

☐ ¿Qué nos conviene más este año?, ¿la declaración conjunta o separada?

☐ Empecemos por mis ingresos. Solo tengo los de rendimiento del trabajo, así que es fácil. Luego está el alquiler...

☐ Pues ya lo tenemos todo más o menos claro, ¿no? De todas maneras, vayamos con cuidado para no equivocarnos.

Es noticia

1 La cooperación internacional Intermón Oxfam

Somos una organización no gubernamental de cooperación para el desarrollo (ONGD) que centra sus actividades en ofrecer una respuesta integral al reto de la pobreza y la injusticia para que todos los seres humanos puedan ejercer plenamente sus derechos.

Impuestos para combatir la pobreza

La política tributaria puede tener un impacto positivo o negativo en función de sus características. Como porcentaje del PIB, muchos de los países ricos recaudan más del doble por concepto de ingresos tributarios (impuestos y tasas incluidos) que los países en desarrollo. Según un informe reciente, puede hacerse mucho para aumentar el monto de los ingresos por impuestos que obtienen los países pobres, y esto puede hacerse de una manera que aborde la desigualdad.

Una característica particularmente notable de las reformas fiscales en el mundo en desarrollo durante las últimas tres décadas ha sido el énfasis dado a los impuestos indirectos, en particular el IVA (impuesto sobre el valor añadido). Por lo general, los impuestos sobre el consumo (principalmente el IVA) se han convertido en la principal fuente de ingresos tributarios para los países en desarrollo y economías en transición. Sin em-

bargo, la presión fiscal media de esos países es baja en comparación con la mayoría de los países de las economías más desarrolladas, pero sobre todo es baja en relación a su propio potencial. Lo llamativo es que esta baja presión fiscal en los países en desarrollo es persistente a pesar del gran número de reformas realizadas desde la última década.

Aunque se luche contra los paraísos fiscales, entre otras cuestiones fundamentales, para recuperar recursos perdidos cuyos legítimos dueños son los países en desarrollo, la movilización internacional será insuficiente sin otras cuestiones igualmente relevantes en la agenda de tareas prioritarias pendientes. Es necesaria una profunda revisión de las políticas fiscales nacionales para darles una mayor orientación propobre, es necesario no escatimar recursos en una mejora significativa de las capacidades de la Administración Pública de los países en desarrollo para cumplir

sus obligaciones con los más desprotegidos y se necesita una mayor voluntad de las élites económicas y políticas de los países en desarrollo para aceptar y promover políticas de mayor inclusión social que permitan, a su vez, revertir gradualmente las desigualdades características de muchos países pobres.

Si no se producen cambios internos en los países en desarrollo, no se podrá aprovechar todo el potencial que un buen sistema fiscal doméstico tiene en la lucha contra la pobreza, la desigualdad y en la construcción de Estados sólidos y eficaces que puedan generar y administrar –de forma coherente con los objetivos de desarrollo y de forma responsable– no solo los recursos propios, sino aquellos que vienen de la cooperación internacional.

Adaptado de *Dueños del desarrollo. Impuestos para combatir la pobreza,* Intermón Oxfam

1. En su opinión, ¿qué papel tienen los impuestos en el desarrollo de los países?
2. Según el texto, ¿qué diferencia destaca el texto entre el nivel de recaudación de los países ricos y los países en desarrollo y pobres?
3. ¿Qué tipo de presión fiscal es más común en el mundo en desarrollo?
4. ¿Qué es necesario para mejorar la eficacia de las políticas fiscales nacionales en los países en desarrollo?
5. ¿Por qué es importante potenciar el sistema fiscal de los países en desarrollo?

La clave del éxito

2 Ciat.org

Conteste las siguientes preguntas.

1. ¿Qué es el CIAT?
2. ¿Cuáles son los apartados principales de este sitio web?

Entre en **www.ciat.org**, la página web del Centro Interamericano de Administraciones Tributarias, para conocer mejor este organismo.

3 Datos del organismo

Navegue por **www.ciat.org** y complete la tabla.

	Respuesta
Enumere 3 países miembros de habla hispana y sus respectivas instituciones tributarias.	
¿Cuál es el órgano encargado de desempeñar las funciones técnicas y administrativas del centro?	
¿Cuál fue el tema de la última conferencia técnica?	
¿Qué cursos presenciales se ofrecen este año?	
¿Qué tema trata el último número de la revista que publica el CIAT?	
¿Quién ganó la última edición del concurso de monografías? ¿Cuál fue el título de su trabajo?	
¿Quién puede optar a la beca de investigación?	

4 Conozca mejor la asociación

Uno de los objetivos del CIAT es la cooperación internacional. Entre en la página web de CIAT y consulte en qué consiste su marco de actuación. A continuación elabore con su compañero un plan de actuación para el próximo año en alguno de los países miembros del CIAT. Escojan un país y decidan tres actuaciones. Presenten su propuesta al resto de la clase, justificando su decisión.

usted

En su país de origen, ¿qué impuestos se incluyen en la retención tributaria de un profesional? ¿Sabe cuál es el porcentaje total de retención sobre el salario?

Acción oral

Usted y su grupo quieren presentar datos relacionados con el desarrollo económico y social de América Latina.

Prepare una exposición

En muchas presentaciones se incluyen gráficos para ilustrar mejor el contenido de las mismas. Estos gráficos pueden ser, entre otros, de barras, de líneas, de sectores, cartogramas o pictogramas. En todo caso, va usted a necesitar una serie de exponentes lingüísticos para comentar los mismos. A continuación le presentamos algunos de ellos.

Para mencionar la fuente de información

El estudio realizado por X analiza ....

Según una encuesta realizada por X ....

Para referirse al gráfico en general

En el cuadro aparece/n ....

El siguiente gráfico muestra/indica/señala/ refleja/aporta/constata ....

En el gráfico se ve claramente/detalladamente ....

Aunque los datos que aparecen sean/ pertenezcan únicamente a ....

Para referirse al tipo de datos:

1. **Sorprendentes o preocupantes:** Un dato que sorprende/preocupa/inquieta...
2. **Importantes o seguros:** Un dato relevante/significativo/concluyente/decisivo/revelador/irrefutable/llamativo/ inédito/predecible/fiable...
3. **Sin mucha importancia:** Un dato irrelevante/intrascendente/insignificante...
4. **Preocupantes:** Un dato preocupante/inquietante/alarmante...

Para referirse a la interpretación y trabajo del estudio

En el estudio se han recabado/recogido datos...

El estudio apunta/arroja/expone...

El estudio silencia/omite/obvia...

El estudio compara

El estudio facilita/proporciona/indica/delata/

El estudio incluye/recoge/recaba

Los datos oscilan entre...

Los datos convergen/coinciden en...

NACIONES UNIDAS

CEPAL es la Comisión Económica para América Latina que recoge, organiza, interpreta y difunde información y datos relativos al desarrollo económico y social de la región.

- Acceda a las estadísticas nacionales de su sitio web (http://estadisticas.cepal.org).
- Con su grupo, elijan un país, preparen una breve explicación de los gráficos más relevantes del perfil para presentarla al resto del grupo. Utilicen las expresiones anteriores para comentar los mismos.

Los impuestos más importantes

Analice dos de los impuestos más importantes (IRPF e impuesto sobre sociedades), compare los diferentes países de la Unión Europea y establezca si la presión fiscal española está por encima o por debajo de la media europea. Presente sus conclusiones usando, entre otros, los exponentes lingüísticos propuestos.

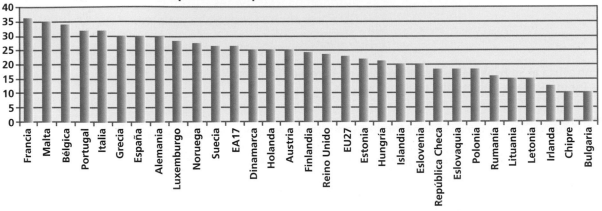

Comparativa impuesto sobre sociedades 2012 UE

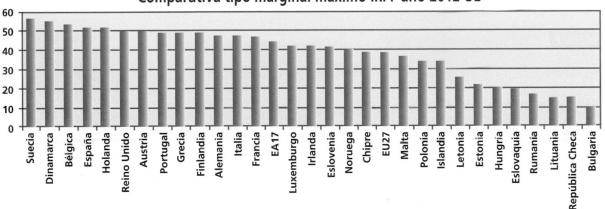

Comparativa tipo marginal máximo IRPF año 2012 UE

Evolución impositiva en España

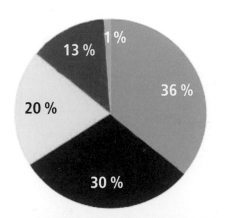

Ingresos tributarios 2002
116 991 millones de euros

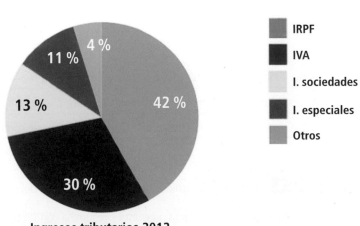

Ingresos tributarios 2012
167 731 millones de euros

IRPF
IVA
I. sociedades
I. especiales
Otros

Entrevista con

su opinión

¿Considera usted que, en general, los autónomos y las pymes sufren una presión fiscal superior a las grandes empresas?

Entrevista al Sr. Pont Clemente, catedrático de Derecho Financiero y Tributario de la Universidad de Barcelona.

PISTA 16

PREGUNTA 1 ¿Cómo se puede ahorrar fiscalmente?

Escuche la respuesta a la primera pregunta y complete el texto con las palabras que faltan.

En el impuesto sobre la (1) .... se han reducido notoriamente las posibilidades de (2) ...., pero continúan existiendo (3) ...., que actúan como mecanismos de (4) .... de la (5) .... fiscal.

PREGUNTA 2 ¿Qué aspectos influyen en el grado de tributación de un autónomo?

Escuche la respuesta a la segunda pregunta y, de las siguientes opciones, marque los aspectos que indica el señor Clemente.

Actividad empresarial ☐	Beneficios ☐
Valores ☐	Tipo de sociedad ☐
Inversiones ☐	Tipo de contratos ☐
Grado de tributación ☐	

PREGUNTA 3 ¿Las posibilidades de ahorro fiscal de un empresario de pyme son similares a las de un autónomo?

Escuche la respuesta a la tercera pregunta y señale si son verdaderas o falsas las siguientes afirmaciones.

	V	F
1. Un empresario de una pyme y un autónomo se pueden considerar iguales.		
2. Los autónomos tienen muchas opciones para ahorrar impuestos.		
3. Las pymes tienen más opciones a la hora de decidir cómo pagar los impuestos.		

PREGUNTA 4 ¿Practicando una economía de opción se defrauda?

Escuche la respuesta a la cuarta pregunta y resúmala con las siguientes palabras.

contribuyente, fraude, ahorro tributario, engaño, pago, declaración

léxico

SUSTANTIVOS

Administración, la ....

Agencia Tributaria, la

año fiscal, el ....

asesor/-a fiscal, el/la

ayuntamiento, el ....

base imponible, la ....

capacidad económica, la

contraprestación, la ....

contribución especial, la

contribuyente, el/la ....

cuota tributaria, la ....

declaración de la renta, la

deducción, la ....

desgravación, la ....

deuda desgravable, la

deudor/-a, el/la ....

devolución fiscal, la

disminución, la ....

donación, la ....

economía sumergida, la

ejercicio fiscal, el ....

Estado, el ....

expatriado/a, el/la ....

gasto deducible, el ....

gravamen, el ....

Hacienda Pública, la ....

implantación, la ....

impuesto, el ....

–directo

–indirecto ....

–sobre el valor añadido (IVA)

–sobre la renta de las personas

físicas (IRPF) ....

–sobre sociedades ....

ingreso, el ....

insolvencia, la ....

inspector/-a de Hacienda, el/la

inversión social, la ....

ley, la ....

obligación, la ....

paraíso fiscal, el ....

planeación, la ....

política fiscal, la ....

presupuesto, el ....

recaudación, la ....

recurso, el ....

retención tributaria, la

sistema fiscal, el ....

sucesión, la ....

tasa, la ....

tipo impositivo, el ....

tramitación, la ....

transmisión patrimonial, la

tributo, el ....

valor añadido, el ....

VERBOS

ahorrar ....

contribuir ....

cumplimentar ....

declarar ....

deducir ....

defraudar ....

desgravar ....

descontar ....

desgravar ....

entrar en vigor ....

fijar ....

gravar ....

pagar ....

recaudar ....

retener ....

soportar ....

tributar ....

ADJETIVOS

conjunto/a ....

deducible ....

exento/a ....

exigido/a ....

fiscal ....

gravado/a ....

impositivo/a ....

individual ....

perjudicado/a ....

porcentual ....

tributario/a ....

OTROS

no perder de vista ....

hacer la vista gorda ....

SECCIONES FINALES

ANEXOS

Reuniones eficaces A

1 Los impedimentos

De los siguientes aspectos, seleccione 5 que, en su opinión, impiden que una reunión sea eficaz.

Búsqueda de culpables y no de soluciones

Falta de respeto por las opiniones divergentes

Falta de asistencia de algunos de los convocados

Atención a temas secundarios

Falta de preparación

Falta de atención

Miedo a la autoridad

Lucha por el liderazgo

Reacciones personales a comentarios sobre el trabajo

Falta de puntualidad

Interrupciones sin sentido

Carencia de orden del día

Incumplimiento del horario previsto

Pérdida del objetivo principal

Imposibilidad para tratar todos los temas propuestos

usted

¿Qué aspectos cree usted que contribuyen a que una reunión sea eficaz? ¿Cuáles impiden este objetivo?

De los impedimentos de la página anterior.

–¿Cuáles considera que perjudican más el buen desarrollo de una reunión?

–¿Cuáles se dan con más frecuencia? Justifique su respuesta y compare sus resultados con los de su compañero.

–¿Qué medidas tomaría para que estos aspectos negativos no se dieran?

2 Consejos para una reunión eficaz

Lea ahora estos consejos para conseguir reuniones eficaces. ¿Está de acuerdo con ellos?

a. Proponga la reunión para antes de comer o inmediatamente antes de otra, así evitará que se prolongue demasiado.

b. Quite las sillas de la sala de reunión, así el encuentro será más breve y eficaz.

c. Convoque a un número de asistentes reducido. Las reuniones numerosas suelen ser poco manejables.

d. Defina desde el principio cuál será el orden que hay que seguir así como el tiempo estipulado para la reunión.

e. Explique el objetivo de la reunión y comience con los asuntos más fáciles y que estén prácticamente resueltos antes de hablar de temas más delicados o conflictivos.

f. Informe a todos, por adelantado, de la convocatoria de reunión.

g. Utilice recursos de ayuda visual (gráficos, cuadernillos, etc.) como soporte a su intervención.

h. Comience la reunión puntualmente y evite «perder» demasiado tiempo para informar a los que han llegado tarde.

i. Asigne una cantidad específica de tiempo para cada asunto.

j. Fomente el intercambio de opiniones, pero no dé lugar a discusiones que se alejen del tema. Esto se puede dejar para el final.

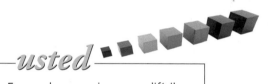

usted

En muchas reuniones es difícil «mantenerse vivo». ¿A qué cree que se debe? ¿Cómo mantiene la atención durante las reuniones menos interesantes?

3 «Mantenerse despierto»

De los siguientes recursos, ¿cuál cree que es el menos aconsejable para mantenerse «despierto» en una reunión? Justifique su respuesta.

1. Preparar la reunión a conciencia a fin de conocer bien los temas.
2. Participar en las discusiones.
3. Dejar que los demás intervengan libremente el tiempo necesario.
4. Aprovechar para mirar los mensajes de su móvil.
5. Contar el número de veces que se repite la misma palabra.
6. Tomar la palabra en nombre de alguno de los ausentes.
7. Tratar de no buscar excusas para ausentarse.
8. Repetir con frecuencia que esa reunión es de vital importancia.
9. Al hablar, mirar a los asistentes de la reunión.
10. Proponer alguna idea «descabellada» para comprobar la reacción de sus compañeros.

–Compare sus ideas con las de su compañero, ¿qué otros recursos utilizarían?

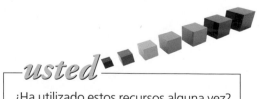

usted

¿Ha utilizado estos recursos alguna vez? ¿Cuáles cree que pueden funcionar?

Puede ser útil

1 ¿Moderador o asistentes?

¿Quién diría estas frases en una reunión? ¿El moderador (M) o los asistentes (A)?

a. Señoras, señores, ¿podemos empezar?
b. Estoy completamente de acuerdo.
c. Sí, sí, exactamente.
d. No veo que tengas razón.
e. El motivo de esta reunión es…
f. Yo me inclinaría por…
g. Puede que tenga razón, pero…
h. Por favor, le ruego que no interrumpa.

i. Yo no diría eso, la verdad.
j. Desde el punto de vista financiero…
k. ¿Algún comentario?
l. Quizá sí, aunque no acabo de ver claro…
m. Tal vez alguien tenga sugerencias.
n. Al contrario, de ninguna manera.
ñ. Estoy completamente convencido de que…

2 El motivo de esta reunión

Complete las siguientes intervenciones de una reunión de trabajo con algunas de las frases anteriores. Hay varias posibilidades.

A: .... retomar el proceso de diálogo entre nuestra organización y Occidental Exploration and Production Company (OEPC), con el propósito de desarrollar una buena relación…

B: Me temo que va a ser imposible llegar a un acuerdo.

A: .... y me permita continuar.

B: Pues yo .... en el marco de este proceso podríamos elaborar conjuntamente una serie de principios que rijan el diálogo y favorezcan la relación.

A: ...., pero como paso previo deberíamos crear comisiones preparatorias conjuntas. ....

B: .... contar con una comisión de seguimiento para que actúe como coordinadora y facilitar así el proceso de diálogo abierto con la OEPC.

A: .... Creo que para la próxima reunión cada uno de nosotros podría preparar un breve informe sobre sus puntos de vista para exponer a la comisión de seguimiento.

— *usted* —

¿Ha utilizado alguna de estas frases?
¿Cuál y en qué situación? Compare con su compañero.

3 Sinónimos

Relacione las frases sinónimas.

1. Estoy completamente de acuerdo.
2. Yo me inclinaría por…
3. Yo no diría eso, la verdad.
4. Quizá sí, aunque no acabo de ver claro…
5. Tal vez alguien tenga sugerencias.
6. De ninguna manera.

a. Probablemente alguno de ustedes quiera compartir sus ideas.
b. Es posible, pero no llego a entenderlo bien.
c. En absoluto.
d. No me atrevería a afirmar eso.
e. Comparto totalmente su opinión.
f. Yo vería mejor que…

Notas de prensa

Lea el siguiente texto sobre las reuniones *on-line* y conteste las preguntas.

Cuándo y cómo mantener reuniones *on-line*

Durante los primeros años del siglo XXI, muchas compañías optaron por las reuniones en línea porque suponían un ahorro de los gastos asociados a los viajes. Sin embargo, la mejora de las perspectivas económicas, así como la disponibilidad de presupuestos más generosos para viajes y formación, restan ahora importancia a esas consideraciones.

Actualmente podemos aplicar nuevos criterios a las reuniones virtuales. Sin embargo, es conveniente formularse algunas preguntas para determinar cómo pueden encajar este tipo de reuniones en la estrategia general de su empresa, por ejemplo: ¿Responde la tecnología a mis necesidades? A veces sí, pero no siempre. La tecnología no está aún perfeccionada y, por otra parte,

participar en una reunión electrónica no es lo mismo que asistir en persona, aunque la tecnología de las reuniones *on-line* sigue mejorando.

¿Son estas reuniones apropiadas para los encuentros informales destinados a que los empleados se conozcan mejor? Aunque la tecnología funcione bien y la relación entre erogaciones* y beneficios favorezca las conferencias *on-line*, piense en el tipo de reunión que va a celebrar. Se puede convocar una reunión en persona, si se trata de un debate en el que es preciso determinar y analizar el lenguaje corporal y las pistas no verbales.

Tras reflexionar sobre estos aspectos, es posible que en muchos casos se llegue a la conclusión de que las reuniones *on-line* no son una moda pasajera. Por eso, la siguiente pregunta que cabría plantearse es cómo obtener el máximo provecho de una reunión en línea.

No olvide la cultura corporativa, la idiosincrasia ni las diferencias culturales. Para Carol Walker Loomis, una de las directoras de Loomis Group, agencia de publicidad, las reuniones web son ideales para las comunicaciones entre oficinas. Entre los profesionales de la publicidad, cuya especialidad es la comunicación, las reuniones a través de un monitor son perfectamente

aceptables. Pero a los clientes no siempre les resulta tan cómodo.

Hable con quienes viajan a menudo por cuestiones de trabajo; es probable que le digan en qué medida prefieren poder recurrir a reuniones *on-line*. Con la formación y en las circunstancias adecuadas, los empleados pueden ser mucho más productivos con las reuniones virtuales que antaño, cuando pasaban semanas enteras de viaje.

Muchos estudios sugieren que existen ventajas productivas a corto plazo que se pueden obtener gracias a las tecnologías de teleconferencia y la web. Sin embargo, la despersonalización a largo plazo de una relación comercial, si los socios no se dan la mano y comen juntos de vez en cuando, es un aspecto que también debe considerarse seriamente.

Debe recordar [...] que hay una realidad inevitable: para triunfar en un mercado como el actual se necesita una combinación de las dos cosas. Es preciso un presupuesto para desplazamientos y el uso de una tecnología de reuniones adecuada.

* En México y Venezuela = erogaciones. En España = gastos, costes.

Adaptado de *www.microsoft.com/argentina*

1. ¿Qué ventajas e inconvenientes ofrecen las reuniones *on-line*?
2. ¿Cuándo es aconsejable este tipo de reuniones?

— *usted* —
¿Cree que la actitud de los asistentes a una reunión cambia de algún modo cuando se trata de una reunión *on-line*? Justifique su respuesta.

Acción oral

En grupos

Ustedes pertenecen a la empresa Trusifres, fabricante de refrescos. La empresa no atraviesa su mejor momento, los gráficos indican una tendencia descendente en el consumo y se está perdiendo cuota de mercado, por lo que se decide convocar una reunión para estudiar medidas con que mejorar los resultados actuales.

Problemas a los que se enfrenta la empresa:

- El rendimiento de los trabajadores en las plantas de embotellamiento está descendiendo y, por otro lado, está aumentando el número de productos envasados defectuosos.
- Los plazos de entrega se están prolongando cada vez más.
- A pesar de que el presupuesto para la publicidad de su nuevo producto, una bebida carbonatada de zanahoria, se ha incrementado en un 5 % desde principios de año, la venta de dicho producto no consigue el volumen de ventas esperado.
- La competencia, con mayor capacidad productiva, está ganando cuota de mercado gracias a una agresiva política de promociones.

Asistentes a la reunión y sus propuestas:

El presidente de la compañía: quiere saber las causas del descenso de la producción y envases defectuosos, el descenso de las ventas y cómo perjudica a la empresa el retraso de los plazos de entrega. Pretende mantener la imagen de eficacia y calidad de la empresa, algo fundamental para poder competir con el principal rival y recuperar cuota de mercado. Quiere definir un plan para reactivar las ventas en el siguiente trimestre.

El director de *marketing*: explica por qué el nuevo producto no alcanza las ventas esperadas y presenta un nuevo plan para su promoción, que incluye venderlo en un nuevo *pack* junto con los productos clásicos (no carbonatados). Si se retira ahora la nueva bebida, se perderá todo el trabajo hecho y será difícil reintroducirla. Plantea la posibilidad de buscar mercados nuevos, para lo cual necesitará más recursos financieros y humanos.

El director de finanzas: aclara la situación financiera de la empresa. En la actualidad presenta pérdidas, pero los buenos resultados de años anteriores proporcionaron reservas de capital suficientes, de momento. Defiende la necesidad de ser muy cautos en las inversiones futuras y congelar algunas previstas (como la nueva maquinaria) hasta que la situación mejore.

El director de producción: explica las causas de los problemas de producción. Insiste en la compra de maquinaria moderna, ya que la actual causa numerosos problemas debido a los cambios que se hicieron para elaborar la nueva bebida carbonatada. Propone dejar de producir la bebida de zanahoria hasta que se compre el nuevo equipo y se recuperen los niveles de producción anteriores. Rechaza introducir cambios de envasado o presentación de productos en la línea de envasado.

Un secretario: toma notas para levantar acta de la reunión.

- Elijan una identidad de las anteriores.
- Discutan, uno por uno, los problemas a los que se enfrenta Trusifres.
- Lleguen a un acuerdo final.

Acta de una reunión

1 Las partes del acta

Aquí tiene las partes de un acta. ¿Puede ordenarlas?

- ☐ Encabezamiento: nombre de la sociedad o de la junta o de la comisión.
- ☐ Relación de asistentes.
- ☐ Fecha, lugar y hora de la reunión.
- ☐ Fecha en letras, firma del secretario y V.º B.º (visto bueno) del presidente.
- ☐ Resumen de cada punto debatido.
- ☐ Orden del día.

> «El acta es la narración escrita de lo tratado en una junta o reunión, con referencia a las deliberaciones habidas en ella y constancia de los acuerdos convenidos».

2 Un ejemplo de acta

Observe el siguiente ejemplo de redacción de un acta y compruebe si ha hecho correctamente el ejercicio anterior.

Club Marítimo de Santander
Reunión extraordinaria de socios

Santander, 30 de mayo de 2014

1.ª convocatoria: 19 h
2.ª convocatoria: 19:30 h

Asistentes: Sr. D. Fabián Gimeno Rodríguez, presidente; Sr. D. Federico Villavicencio Santiago, secretario; Sra. Dña. Paloma Sánchez; Sr. D. Rodrigo Pérez.

Orden del día:
1. Estado de cuentas; 2. Renovación de cuotas; 3. Propuesta de ampliación del embarcadero; 4. Turno abierto de palabra.

Desarrollo de la sesión:
Lectura y aprobación del acta anterior: sin objeciones, por unanimidad.
1. El secretario reparte a los presentes una copia del resumen de ingresos y gastos del ejercicio anterior.
2. El presidente explica que aún no ha llegado la subvención esperada y que, cuando llegue, deberá incluirse en el presupuesto de hace dos años.
3. El presidente, para incrementar los ingresos del club, propone subir el importe de la cuota anual y establecer dos tipos de cuota: una solo para piraguas y, la otra, para todo tipo de embarcaciones del club. Propone también hacer más publicidad de los cursillos para atraer a no socios.
4. Sin votación se aprueba por unanimidad la propuesta de incrementar la cuota en 100 euros.
5. El presidente propone ampliar el embarcadero, explicando que le han llegado peticiones para alquilar amarres y que no hay ninguno disponible. Presenta un proyecto que se encargó hace dos años, con un presupuesto orientativo y un estudio de la amortización prevista (Anexos 1 y 2). Hay interés general por el proyecto y se acuerda encargar una actualización del mismo.
6. No hay preguntas.

El presidente da por finalizada la sesión, de la cual, como secretario, levanto acta en Santander a treinta de mayo de dos mil catorce.

Firma y V.º B.º
Fabián Gimeno Rodríguez/Federico Villavicencio Santiago
Presidente/Secretario

Anexos
1. Proyecto de ampliación del embarcadero del ejercicio anterior.
2. Presupuesto y estudio de amortización.

Adaptado de la revista *Emprendedores*

3 Ahora usted

A partir de este modelo, elabore el acta de su reunión con las notas tomadas por el secretario de Trusifres.

Negociaciones

usted

¿Qué entiende por *negociar*?
¿Cuándo cree que hay que negociar?

1 Definir una negociación

Escriba una definición de negociación con los siguientes términos:

proceso, partes, comunicación

2 ¿Está de acuerdo?

Lea ahora la siguiente definición de *negociación*. ¿Coincide con la suya? ¿Añadiría algo a la definición?

«La negociación es el proceso para llegar a una mutua satisfacción de dos o más partes a través de una acción de comunicación, donde cada parte hace una propuesta inicial y recibe una contrapropuesta, con el intento de aproximarse al punto de equilibrio de ambas ofertas».

3 El éxito de la negociación

De los siguientes consejos, ¿cuáles considera adecuados para garantizarlo? Justifique su respuesta.

1. Estudie a fondo los argumentos de su oponente.
2. Ceda la iniciativa al otro.
3. Confíe en la improvisación y no se preocupe: cuando le propongan algo, ya sabrá qué contestar.
4. Céntrese en la situación, no en la persona con quien negocia.
5. Muéstrese sincero y confiado.
6. Revele todas sus tácticas, así reafirmará su posición frente a la otra parte.

7. Disimule la irascibilidad y la frustración y nunca se marche enfadado.
8. Céntrese en sus objetivos, los argumentos de la otra parte no deben contar.
9. Regatee con astucia: no ceda terreno, excepto si obtiene algo a cambio.
10. Ofrezca primero las concesiones menores, puede que no tenga que hacer otras.
11. Haga su oferta final solo cuando exista una atmósfera de cooperación y receptividad.
12. Muéstrese duro en todo momento, lo esencial es no ceder terreno.

4 Las fases de una negociación

Toda negociación eficaz tiene un proceso: planificación, negociación cara a cara y análisis posterior. ¿Cuál cree que es la fase más importante? Justifique su respuesta.

5 La «negociación cara a cara»

Son 5 pasos. Relacione cada paso con su descripción y ordénelos según se producen.

☐ Intercambio   ☐ Expectativas   ☐ Acercamiento   ☐ Apertura   ☐ Cierre

Se presentan opciones y demandas. Ambas partes evalúan las formas de hacerlas corresponder para llegar a resultados concretos. Comienzan a manifestarse los conflictos.

....

Se identifican las áreas comunes de las partes, se generan nuevas opciones, se plantean las concesiones, se solucionan los conflictos y se toman acuerdos preliminares.

....

Se hacen las presentaciones formales, se expone y acuerda la agenda, se definen las reglas de trabajo para llevar a cabo la negociación y se concreta la logística del proceso.

....

Se presentan los objetivos por ambas partes. Se hacen las aclaraciones correspondientes y se ajusta la agenda según sea necesario.

....

Se revisan los acuerdos, se definen las fechas y los responsables así como los mecanismos de seguimiento de los acuerdos y la aprobación final.

....

usted

¿Cómo definiría a un *buen negociador*?

6 Un buen negociador

Complete la frase con los siguientes términos. Realice los cambios oportunos.

problemas ● confianza ● entender ● expectativas ● aprender

«Los negociadores exitosos (1) .... de la experiencia, son persistentes, tienen altas (2) ...., generan (3) ...., escuchan para (4) .... y solucionan (5) .... de forma creativa».

Puede ser útil

1 Manos a la obra

Flija el título adecuado para cada grupo de frases.

Obtener información	Empezar la negociación	Mostrar acuerdo	Sugerir

Mostrar desacuerdo	Aclarar posiciones	Ofrecer	Finalizar

1.

Podríamos empezar exponiendo…

En principio…

Nos interesa llegar a un acuerdo.

2.

¿Qué le parece si…?

¿Por qué no…?

Creo que deberíamos…

3.

Nuestra oferta sería…

Podríamos aceptar…

En última instancia, estaríamos de acuerdo en…

4.

¿Qué le parece…?

¿Qué opina de…?

¿Cuál es su posición sobre…?

5.

De acuerdo.

Nos parece correcto.

Creo que sería posible.

6.

Creo que no me he expresado con claridad.

Me gustaría puntualizar algunos aspectos
de la negociación.

Nuestro punto de vista es…

7.

Lo lamento, pero es imposible.

No estoy de acuerdo.

En absoluto.

8.

Trato hecho.

Entonces, hemos llegado a un acuerdo.

Lamentablemente no hay trato.

2 Registros

En una negociación es fundamental aclarar cualquier duda sobre la misma y hacerlo de forma respetuosa. En la columna de la izquierda tiene usted frases en registro formal y en la derecha, las mismas frases en registro informal. Relaciónelas como en el ejemplo.

REGISTRO FORMAL	REGISTRO INFORMAL
a) Perdone, me gustaría concretar este aspecto…	1. Pero ¿qué es lo que quieren?
b) Entonces, si no he entendido mal, ustedes proponen…	2. A ver, otra vez, a ver si me aclaro.
c) Si me permite resumir…	3. O sea, que al final, lo que pide usted es…
d) ¿Podría repetir esto último…?	4. Vayamos al grano.
e) Disculpe, pero me gustaría aclarar este punto…	5. En pocas palabras, sería…
f) En conclusión, la propuesta sería…	6. No entiendo qué es lo que quiere. Explíquelo más claramente.

3 Expresiones

¿Qué significa cada una de las siguientes expresiones? Relacione las dos columnas.

1. Poner las cartas sobre la mesa
2. No dar su brazo a torcer
3. No tener pelos en la lengua
4. Ir de cabeza
5. Estar a la cabeza
6. No tener ni pies ni cabeza
7. Ser todo oídos

a. Carecer de sentido
b. No ceder, mantener la posición
c. Estar en primer lugar
d. Escuchar atentamente
e. Hablar sin esconder nada
f. Estar muy ocupado
g. Decir lo que se piensa

Notas de prensa

Lea el siguiente texto y diga si es verdadero (V) o falso (F) lo que se afirma a continuación.

Un buen negociador: ¿nace o se hace?

Las diferentes teorías, manuales y libros indican que sí es posible convertirse en un hábil negociador, siempre y cuando tengamos en cuenta el método necesario para poder aproximarnos a una negociación con éxito.

Pasos de una negociación

Conocer y entender el «arte de la negociación» es un valor añadido en cualquier ámbito. Toda negociación es un método para lograr un acuerdo, y dicho método sigue un orden. Este orden se puede dividir en tres etapas:

● **Preparación de la negociación.** Se definen los asuntos que hay que negociar y se establecen los objetivos de máxima y de mínima para preparar nuestra estrategia. Es decir, se identifican los asuntos en los cuales podemos ceder y aquellos en los cuales debemos mantenernos firmes, ya que por debajo de esos objetivos no convendría llegar a un acuerdo. Cuanto más completa sea esta etapa, mejor será el acuerdo.

● **Desarrollo de la negociación.** En esta etapa se ejecuta la estrategia elaborada durante la preparación y se establecen las distancias entre las posiciones de ambas partes. Toda diferencia en los objetivos puede significar una oportunidad para un intercambio provechoso. El obstáculo más común en esta parte es controlar el impulso. No es recomendable conceder demasiado, con la posible pérdida de imagen, ni por el contrario ser demasiado inflexible, sentirse superior y más razonable que la contraparte, con lo cual se tiende a no ceder en absoluto.

● **Resolución y revisión de la negociación acordada.** Una vez resuelta la negociación se prepara el texto del acuerdo para su aprobación. Es muy importante que ambas partes entiendan la totalidad de lo escrito, especialmente si difieren las lenguas maternas de las partes. La siguiente tarea es internacionalizar las normas acordadas y realizar un continuo seguimiento de su aplicación.

Recomendaciones para las pymes

Para un directivo de una pequeña o mediana empresa, enfrentar una negociación no implica lo mismo que para un gerente de una gran empresa. Especialmente porque quien encabeza la negociación puede ser el propio fundador de la empresa o la misma pudo haber pertenecido a la familia. A su favor, el negociador tiene la capacidad de tomar decisiones directamente y existe un profundo conocimiento de la empresa a nivel global (o al menos eso se supone). Sin embargo, se corre el riesgo de perder la objetividad de la negociación y del problema que hay que tratar, ya que suelen ser comunes el mal manejo del impulso y la incapacidad de visualizar una contraestrategia. En estos casos, se suele creer que la opinión propia es la más razonable, estancando la negociación o al menos dificultándola.

Adaptado de *Diana Silveira, CEDEX*

	V	F
1. Se puede aprender a negociar con éxito.		
2. Los directivos de las pymes son mejores negociadores.		
3. La preparación de la negociación es fundamental para concluirla con éxito.		

Acción oral

En parejas/grupos

Negociación 1

Industrias Lanter versus Algolá, S. A.

Van a participar en una negociación entre dos empresas: Industrias Lanter y Algolá, S. A.

A: Elijan la empresa a la que desean representar.

B: Lean la información correspondiente y los puntos que tienen que negociar.

INDUSTRIAS LANTER

Es una compañía que confecciona trajes de caballero de alta calidad. Durante estos años ha demostrado que sus prendas son muy resistentes y de larga duración. Al mismo tiempo no ha dejado de introducir diseños modernos y de actualidad. Lanter confecciona sus trajes en lana. Como su producción aumenta de año en año, cree que sería conveniente poseer su propia hilatura para asegurar el suministro de su materia prima.

Algolá, S. A., fábrica que les suministra la lana, parece que se halla en un momento propicio para entablar conversaciones relacionadas con la posible venta de la hilatura.

Ramón Clavero, representante de Industrias Lanter

Desea comprar la hilatura. Su valor se ha estipulado en 11,2 millones de euros. Usted intentará adquirirla por un precio menor.

Uno de sus compromisos es hacerse cargo de la fábrica manteniendo a toda la plantilla, pero no puede garantizar un aumento salarial a corto plazo. En realidad usted, a largo plazo, desea reducir el número de empleados, por lo cual no se puede comprometer a garantizar la seguridad de los puestos de trabajo. Este puede ser un punto delicado a la hora de negociar, así que tendrá que ser precavido al tratar el tema.

Usted desea que la empresa sea dirigida según los medios de gestión más modernos, por lo que usted piensa nombrar a un nuevo gerente, ya que no cuenta con el gerente de Algolá, S. A., pues su edad es avanzada.

ALGOLÁ, S. A.

Fundada en 1850 por Santiago Aristes, está dirigida por Álvaro Aristes (bisnieto del fundador).

El valor de la hilatura que dirige el señor Aristes se calcula en 11,2 millones de euros. La plantilla está compuesta por 17 empleados, 3 de los cuales se jubilarán en los próximos 5 años. La actitud paternalista de la gestión, que lleva a cabo el director, está bastante anticuada, sin embargo, está bien vista por parte del personal. Últimamente corren rumores sobre la venta de Algolá, S. A. a Industrias Lanter, empresa que confecciona trajes de caballero y a la que Algolá, S. A. suministra parte de la lana.

Valentín Vázquez, representante de Algolá, S. A.

Está satisfecho con la posible compra de la empresa por parte de Industrias Lanter. Álvaro Aristes tiene ya una edad avanzada para seguir al frente de la compañía y usted sabe que ha pensado retirarse.

Desea que se mantenga el valor de la hilatura en 11,2 millones de euros.

Quiere tener la seguridad de que ningún empleado de la empresa perderá el empleo.

Desea tener la garantía de que el sistema de trabajo no se modernizará y para ello sugiere que el señor Aristes retenga un interés del 51 % de la empresa durante los próximos 5 años. Después de ese periodo Industrias Lanter puede comprar el resto de las acciones.

- Decidan el orden de intervención.
- Tomen nota de los acuerdos alcanzados durante la negociación para comentarlos al final de la sesión.
- Lleguen a un acuerdo satisfactorio para ambas partes.

SAT, S. A. versus ministra de Medio Ambiente

Van a participar en una negociación entre un representante de la empresa SAT, S. A. y la ministra de Medio Ambiente.

A: Elijan a quién desean representar.

B: Lean la información correspondiente y los puntos que tienen que negociar.

EMPRESA SAT, S. A.

Es una empresa internacional que posee varias plantas en todo el país y que desea implantar una nueva en una región subdesarrollada con poca industria. Los motivos para elegir esa región son:

1. El Ministerio de Economía ha propuesto una reducción de impuestos de un 40 % a las empresas que se trasladen allí.
2. El alto índice de desempleo de la zona así como el bajo nivel salarial comparado con otras regiones.

Según estas circunstancias, SAT, S. A. calcula que sus costes de producción se reducirán un 20 %. Sin embargo, hay que contar con las leyes de protección de medio ambiente y con la oposición que manifestará una de sus representantes, Amelia Fuentes, ministra de Medio Ambiente.

Amelia Fuentes, ministra de Medio Ambiente

Debe informar a SAT, S. A. de toda la normativa relacionada con su proyecto de construir una fábrica en esa zona.

1. El 40 % de reducción de impuestos solo es aplicable si se contrata a trabajadores de la región. Este punto no se aplica a técnicos especializados.
2. No está permitido edificar fábricas de altura superior a 10 m (no se incluyen chimeneas).
3. No está permitido construir fábricas que cubran una superficie superior a 5 000 m².
4. No está permitido verter materiales en el río. Todos los residuos serán transportados fuera de la zona.
5. Los gases tienen que ser emitidos por chimeneas de altura superior a los 100 m y que tengan un filtro de absorción de toxicidad.

Para usted es esencial obtener la información más detallada sobre el proyecto de SAT, S. A. y ceder lo menos posible a sus demandas.

Joaquín Ríus, director de planificación de SAT, S. A. y responsable del proyecto

Va a reunirse con la ministra de Medio Ambiente a fin de conocer las restricciones que se aplicarán a la nueva planta.

1. Desea contratar personal de la región para reducir costes. Al mismo tiempo, tiene interés en contratar personal cualificado de otras regiones.
2. La fábrica debería tener una altura de 20 m (excluidas chimeneas), para mejor rendimiento de la empresa.
3. La superficie que cubriría la planta es de 10 000 m².
4. Los vertidos serán arrojados al río Arba, que pasa junto a la planta. Transportar los vertidos supone un añadido del 5 % a los costes de producción.
5. Los productos que ustedes utilizan, al mezclarse con vinilo, desprenden un gas tóxico, por lo que piensan instalar un tipo de chimeneas cuya altura supera los 100 m y que contienen un filtro de absorción de toxicidad.

Su objetivo primordial es obtener el permiso para construir el proyecto cambiando mínimamente los planes iniciales de la compañía.

- Decidan el orden de intervención.
- Tomen nota de los acuerdos alcanzados durante la negociación para comentarlos al final de la sesión.
- Lleguen a un acuerdo satisfactorio para ambas partes.

Presentaciones C

«Cuando realice una presentación oral, piense que en ese momento se debe al público y debe desempeñar su mejor papel»

usted

¿Qué factores se tienen que dar para que una presentación sea eficaz? ¿Qué no habría que hacer?

1 Una buena presentación

Lea las frases y complete el diagrama de la página siguiente.

1. Piense positivamente y recuerde que, si usted está ahí, es por algo importante.
2. Prepare su tema con mayor profundidad de lo requerido.
3. Ante el auditorio, mire a los presentes y comience con entusiasmo. Una sonrisa equivale al mejor de los saludos.
4. Cuando inicie su presentación, lo puede hacer con una anécdota, una cita, un comentario, etc., algo que le permita romper el hielo.
5. Sea lo más natural posible, pues el público descubre las actitudes fingidas.
6. Utilice los diferentes tonos de su voz para matizar su mensaje.
7. Mueva sus manos con naturalidad. No permita que lo vean nervioso. Confíe en usted. Compórtese como si conversara con unos amigos.
8. Concentre el mensaje en lo que los oyentes quieren escuchar y ejemplifique.
9. Evite mirar al techo o al suelo.
10. No hable ni un minuto más de lo pautado.
11. Responda las preguntas de su auditorio.

Adaptado de *www.analitica.com*

ENTORNO EMPRESARIAL

Escriba el número de la frase correspondiente.

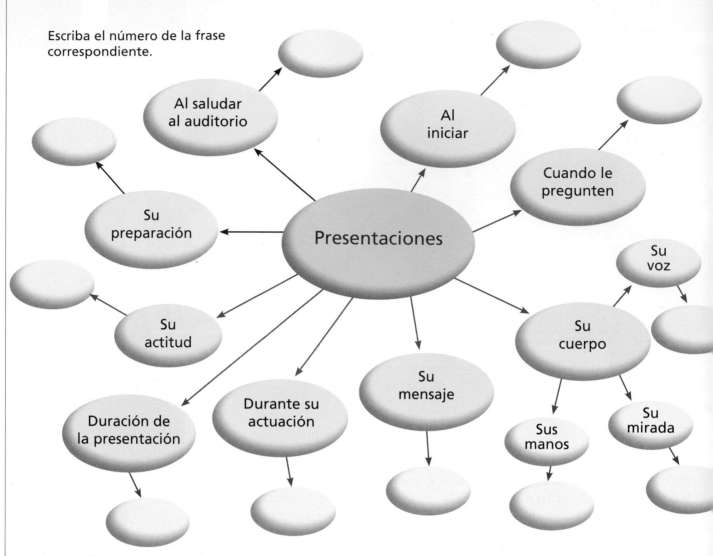

Puede ser útil

1 # El lenguaje corporal

Lea el siguiente texto sobre el lenguaje corporal. ¿Está de acuerdo?

La comunicación es una necesidad personal y social. Sin embargo, además de la palabra, el ser humano utiliza otros muchos recursos para comunicarse que, en su conjunto, se denominan lenguaje no verbal o lenguaje corporal. Según estudios realizados por el psicólogo Albert Mehrabian, del impacto total de una conversación, el 7 % es verbal (palabras), el 28 % es vocal (cualidades de la voz) y el 55 % es no verbal.

En toda comunicación existen, por una parte, elementos verbales (las palabras) que transmiten lo que sabe el comunicante y, por otra parte, elementos no verbales (todos menos las palabras), que transmiten cómo es el hablante, pues ofrecen claros indicios acerca de su temperamento, de su personalidad, de su grupo social e incluso de su estado de ánimo.

La primera fuente de información no verbal es el rostro con el poder de la mirada y sus múltiples expresiones. Después están los ademanes, gestos y movimientos realizados con la cabeza y extremidades que nos pueden dar más información. Además, existen muchas otras formas de expresar nuestros sentimientos a través del cuerpo, como el tono de voz, la posición del cuerpo, la distancia con el interlocutor, etc. Por último, incluso el vestido puede convertirse en una fuente de información.

2 ¿Qué significan?

¿Qué expresan las siguientes actitudes corporales?

1. Los tobillos cruzados
2. Las manos cerradas en puño
3. La americana desabrochada
4. Las manos en la cintura
5. Los pies bien apoyados en el suelo

a. Defensa/frustración
b. Confianza
c. Autocontrol
d. Seguridad
e. Apertura/cooperación

3 Frases para una presentación

Elija el título adecuado para cada grupo de frases.

1. Para referirse a algo
2. Para añadir nuevos argumentos o ideas
3. Para presentar conclusiones
4. Para aclarar lo dicho
5. Para hacer una referencia a los soportes audiovisuales
6. Para ordenar los argumentos
7. Para resumir
8. Para introducir nuevos argumentos opuestos
9. Para introducir el tema
10. Para finalizar

En lo concerniente a...
En relación con...
No puedo dejar de mencionar...

En primer lugar..., en segundo lugar...
Por una parte..., por otra parte...
Primero..., a continuación..., finalmente...

Ante todo...
El objetivo de esta presentación es...
Voy a hablar sobre...

Tal como pueden ustedes ver...
En este gráfico pueden comprobar...
Si miran este esquema, pueden deducir...

Para concluir...
En definitiva...
Me gustaría dejarles con la siguiente idea...

Al mismo tiempo...
Además...
Completando lo anterior...

Sin embargo...
No obstante...
Aún así...

Resumiendo...
Brevemente...
En pocas palabras...

... y con esto llegamos al final de mi presentación.
... y esto completa mi presentación.
Antes de terminar, quisiera agradecer...

Es decir...
En otras palabras...
Dicho de otra forma...

Notas de prensa

Lea el siguiente texto y conteste a las preguntas.

La vuelta a casa de los ejecutivos

Para empezar, me gustaría agradecer a Marcotrans haberme invitado. Mi objetivo es mostrarles el panorama del retorno de los ejecutivos españoles expatriados en las empresas que operan en España.

Tal como vemos en la diapositiva, el 82 % de las firmas no suele planificar la repatriación de sus empleados. Una de las consecuencias es la frustración laboral del ejecutivo y su posterior abandono de la compañía.

En efecto, en muchas ocasiones el director de Recursos Humanos asegura al empleado, antes de marcharse fuera de España, que si se va a ese país durante un tiempo determinado le duplicarán el sueldo, le pagarán el colegio de sus hijos, le abonarán el alquiler de una vivienda de unos 200 m², etc., ventajas bastante apreciadas por el ejecutivo que se va a expatriar. Sin embargo, queda todavía algo por aclarar: «¿Qué pasará cuando vuelva?», pero la

respuesta quedará en el aire.

Según un estudio realizado por el profesor Gómez, solo el 18 % de las empresas asigna a sus profesionales puestos donde pueden aplicar lo aprendido en el extranjero.

El 43 % de las empresas españolas negocia las condiciones de repatriación cuando el empleado regresa. Un 33 % ofrece el mismo puesto y solo un 24 % mejora las condiciones y la

posición del repatriado. Además, casi la mitad de los repatriados pierde todos los beneficios adicionales y únicamente una tercera parte tiene la oportunidad de alargar el periodo de expatriación si lo desea.

En resumen, cuando un ejecutivo opera en nombre de una multinacional fuera de España es el rey. A la vuelta pierde los privilegios.

Adaptado de *Actualidad Económica*

1. ¿Qué privilegios reciben los expatriados?
2. ¿De quién es la culpa de que «a la vuelta (el expatriado) pierda los privilegios»? Justifique su respuesta. ¿Qué puede hacer el expatriado para evitarlo?
3. ¿Qué expresiones o frases considera que hacen más fluido el texto? Márquelas.

Hacer una presentación

En grupos

Escojan uno de los temas siguientes y, según las indicaciones que se les dan, hagan una presentación de 10 minutos. Presten atención a su lenguaje corporal. Utilicen los recursos lingüísticos vistos con anterioridad.

Lanzamiento de un nuevo producto alimenticio

Su departamento quiere lanzar un nuevo producto alimenticio. Se trata de una bandeja que contiene un menú de dieta mediterránea compuesto por primer y segundo plato y postre. Se puede meter en el microondas y está pensado para los que comen cada día fuera de casa y no tienen tiempo para prepararse la comida.
El público objetivo sería la población del sur de Europa que considera esta comida la más importante del día.

- Tiene que informar a un grupo de inversores sobre la conveniencia de lanzar al mercado este nuevo producto: público al que va dirigido, precio de la bandeja, ventajas e inconvenientes, caducidad del producto.
- Intente convencerles de que puede ser una buena inversión.

Propuesta de nuevas colecciones de libros infantiles y juveniles

Trabaja usted en una editorial dirigiendo la línea infantil. Se acerca Navidad y con ello hay que pensar en los títulos que se van a ofrecer al público. A usted le gustaría que su editorial fuera conocida por ofrecer colecciones especiales como por ejemplo: ciencia ficción, gastronomía, mitología infantil.

- Piense en una colección que le resulte interesante y prepare una presentación para los miembros de su equipo en la que les informa del giro que quiere dar con estas nuevas colecciones.
- Intente entusiasmarlos concentrándose no solo en los aspectos económicos de la propuesta, sino también en los socioculturales.

Productos financieros

Trabaja usted en una sociedad de inversiones. Su empresa le ha pedido que aclare a un grupo de inversores qué ventajas e inconvenientes hay entre los diferentes productos bancarios que en este momento se ofrecen.

- Busque la información adecuada, escoja tres productos financieros y prepárese para explicar en qué consisten y cuáles son sus ventajas e inconvenientes: desgravación fiscal, alta rentabilidad, etc.

Nueva oficina en Hispanoamérica

La multinacional para la que usted trabaja está considerando abrir una nueva oficina de distribución en la costa sur del Atlántico: posiblemente Argentina o Uruguay.

- Asesórese de la situación de ambos países, escoja una ciudad en cada país.
- Prepare una presentación proponiendo dos ciudades en donde podría abrirse la nueva oficina.
- Valore los pros y contras de cada una de ellas.

Conclusiones de una presentación

AUTOEVALUACIÓN

Califíquese a sí mismo en una escala del 1 al 5 en los siguientes aspectos:

Objetivos alcanzados

- Ha expuesto el tema con claridad ☐
- Ha seguido un orden lógico de exposición ☐
- Ha cubierto todos los aspectos importantes de su presentación ☐
- Ha transmitido al auditorio su mensaje ☐

Materiales utilizados

- ¿Se ha asegurado del buen funcionamiento de los medios audiovisuales antes de la presentación? ☐
- ¿Era el material relevante? ☐
- ¿Ayudaba el material a clarificar su exposición? ☐

Lenguaje corporal

- ¿Ha mantenido contacto visual con el auditorio? ☐
- ¿Ha utilizado un volumen e inflexión de voz adecuados? ☐
- ¿Se ha desplazado poco y con naturalidad? ☐
- ¿Ha utilizado su cuerpo (manos, mirada...) para dar fuerza al mensaje? ☐

Aspectos que hay que mejorar

Comentarios

¿Qué opina su audiencia sobre su presentación? Escuche sus sugerencias.

Diferencias culturales

1 El concepto de *cultura*

Lea esta introducción al concepto de *cultura* y al símil del iceberg.

Desde que en 1871 Tylor definiera la *cultura* como «ese todo complejo que incluye conocimientos, creencias, arte, moral, costumbres y todas las demás capacidades y hábitos adquiridos por el hombre como miembro de una sociedad», han aparecido muchas otras definiciones de lo que se entiende por *cultura*. En general, se acepta la idea de la distinción entre «dos tipos de cultura»: Cultura 1, que haría referencia a los fenómenos observables (productos, costumbres, arte, etc.,) y la Cultura 2, que haría referencia al reino de las ideas (valores, creencias, etc.).

Una de las ilustraciones más famosas al respecto es la del símil del iceberg donde se plantea la Cultura 1 como todos los productos culturales que se encuentran en la superficie, todo aquello que se puede «ver» y la Cultura 2 como todas aquellas concepciones morales, valores que, aun siendo la base de la Cultura 1, no podemos «ver».

usted

Defina el concepto de *cultura*.

Cultura 1
música
literatura
gastronomía
costumbres
fiestas tradicionales

Cultura 2
ritmo de vida
criterios de educación
concepto de trabajo
concepción de la belleza
concepto de amistad
noción de matrimonio
concepto de ocio
importancia de la familia
leyes de parentesco
concepción del bien y del mal

2 Los aspectos culturales

De los siguientes aspectos culturales,
¿cuáles cree usted que pertenecen a la
Cultura 1 y cuáles a la Cultura 2?

	1	2
1. Movilidad del estatus		
2. Incentivos al trabajo		
3. Juegos		
4. Actitud frente a la enfermedad		
5. Lengua		
6. Nociones de liderazgo		
7. Forma de vestir		
8. Bailes populares		
9. Forma de tomar decisiones en grupo		
10. Pautas de conversación		
11. Teatro		
12. Peinado		
13. Valor que se da a la limpieza		
14. Formas de resolver problemas		
15. Concepción de uno mismo		

3 Valores y cultura

¿Cuáles de los siguientes valores son
más importantes en su cultura?
Justifique su respuesta y dé ejemplos.

jerarquía   respeto a la autoridad

igualdad de oportunidades   ambición

respeto al varón   trabajo en equipo

individualismo   familia

religión   bienes materiales

respeto por el medio ambiente

tiempo libre   respeto por los niños

respeto por los ancianos

Compare su respuesta con la de sus
compañeros. Si son del mismo país, fíjese
si han coincidido en las respuestas.

4 El modelo LMR

El modelo LMR (linear/multi/reactive), creado por Richard D. Lewis, clasifica y caracteriza las
diferentes culturas en tres categorías.

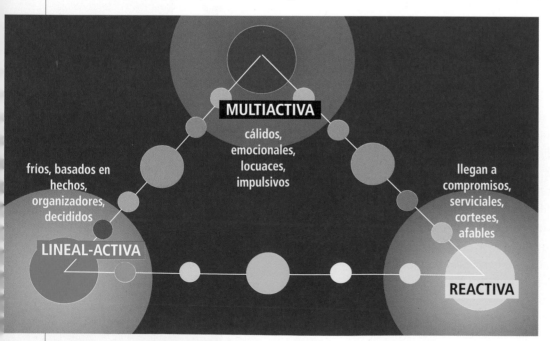

Culturas lineales-activas: planean,
programan, siguen cadenas de
acción-producción, hacen solo una
cosa a la vez.

Culturas multiactivas: actúan
impulsivamente, hacen varias cosas
al mismo tiempo, improvisan según
la importancia o urgencia de los
temas, son locuaces y vivaces.

Culturas reactivas: dan prioridad
a la cortesía y al respeto, escuchan
con máxima calma y atención
a sus interlocutores y reaccionan
cuidadosamente a las propuestas
de la otra parte.

1. En su opinión, ¿en qué zona del gráfico LMR situaría aproximadamente las siguientes culturas? Compare su respuesta con la de sus compañeros.

anglosajona   escandinava/nórdica   latinoamericana   árabe

germánica   china   japonesa   latina en Europa

2. ¿Dónde situaría en el gráfico, más o menos, la cultura de su país? Justifique su respuesta. Compare su respuesta con la de sus compañeros.

3. ¿Recuerda la reunión de Trusifres, de la sección A, p. 137?
Vamos a reproducir parte de la misma. Decida, según la forma de participar en la reunión, la categoría cultural a la que pertenecen los siguientes directores.

Director de producción, director de finanzas, director de *marketing*.

Presidente: Si les parece bien, podríamos empezar ya comentando los aspectos del orden del día…
Director/-a de *marketing*: Sí, perdón por interrumpir. Yo querría aclarar que, a falta de más financiación, es imposible llevar a cabo una buena campaña publicitaria y aumentar las ventas.
Director/-a de finanzas: Ya adelanto que no hay presupuesto ni para campañas publicitarias, ni para nueva maquinaria, ni para investigación…
Director/-a de *marketing*: Siento interrumpir de nuevo, pero si suprimimos el nuevo plan de promoción, se perderá todo el esfuerzo de inversión y trabajo realizado hasta ahora.
Director/-a de producción: Un momento, por favor. Nos hemos desviado del orden del día. A mí me consta que íbamos a empezar por el tema de la maquinaria obsoleta y el problema de los envasados defectuosos.
Director de *marketing*: Eso tampoco ayuda en las ventas, desde luego. No todo es la campaña.

Director/-a de producción: Es cierto. Por eso necesitamos un plan de financiación meditado.
Director/-a de finanzas: Exacto. Déjenme explicarles punto por punto el nuevo plan. Vayamos por partes...

–¿Qué categoría cultural no está representada en esta reunión?
  ¿Cómo cree que sería su intervención?

4. En grupos de cuatro:
Elijan una identidad de las anteriores, prepárense y continúen la reunión, asumiendo la categoría cultural que representan.

Puede ser útil

1 La negociación

Lea la siguiente opinión sobre negociación y cultura.

«Todas las culturas conocen la negociación, la practican y la reconocen como tal en una situación determinada. Sin embargo, la actividad de negociar varía según quien la realice».

¿Está de acuerdo con ella?

2 Depende de la cultura

A continuación le presentamos una serie de afirmaciones. Marque con ✗ aquellas que considera propias de su cultura y con ✓ las que piensa que son propias de una cultura latina.

- [ ] El negociador confía en su capacidad de improvisación.
- [ ] El negociador va perfectamente preparado a la negociación.
- [ ] Conocer a la otra parte y ganarse su confianza es fundamental para llegar a un acuerdo.
- [ ] Una buena presentación de los números y las ventajas competitivas de nuestra oferta llevarán a un acuerdo ventajoso.
- [ ] La puntualidad es imprescindible. El tiempo es oro.
- [ ] Es importante dedicar tiempo a conocer a la otra parte (podemos llevarla a comer o a cenar y mostrarle nuestra ciudad).
- [ ] Es más importante que la otra parte esté cómoda, que respetar el horario de oficina.
- [ ] Hay que evitar la confrontación. Es importante no ofender con las palabras o con negativas bruscas.
- [ ] La claridad sobre lo que se considera inaceptable debe quedar establecida desde el primer momento.
- [ ] Hay que separar la persona de la empresa a la que representa. Lo interesante es qué nos ofrece la organización a la que el negociador representa.
- [ ] Es importante causar buena impresión, porque mucho va a depender de la persona con quien se negocie. La empresa no es tan importante, en último término quien decide es una persona.
- [ ] Hay que respetar los niveles de jerarquía, aun a riesgo de perder alguna buena oportunidad para la empresa.

3 El español y la negociación

Un estudio realizado en la Unión Europea, el proyecto INES (*International Negotiations in Spanish*), resaltó varias peculiaridades del español cuando negocia. Lea las siguientes frases de ese estudio y decida si es verdadero o falso.

	V	F
1. Los españoles confían mucho en la palabra dada y esperan que los demás también lo hagan.		
2. El español respeta escrupulosamente el orden del día.		
3. Los españoles rehúyen situaciones de confrontación y evitan decir simplemente «no».		
4. El español confía en su capacidad de improvisación y no prepara con detalle la negociación.		
5. Si al negociar con un español no se gana su confianza, aunque el negocio le sea favorable, no se llega a buen final.		

4 Resultado del proyecto INES

A continuación le presentamos el resultado del proyecto INES que señala cinco características propias del español cuando negocia.

a. ¿Con qué aspecto relaciona cada definición?

b. Compruebe si lo que ha marcado en el ejercicio anterior coincide con el resultado del proyecto.

La improvisación
El concepto del tiempo
La confianza
La jerarquía
El personalismo

1. Confiar en la otra parte es fundamental para llegar a un acuerdo. La relación de confianza se va creando a través del trato personal, por eso se dedica mucho tiempo a «socializar»: hablar de fútbol o de los hijos, salir a comer a un buen restaurante, etc.

....

2. Para los españoles es más importante la relación personal que la puntualidad. Llegar un poco tarde es algo más o menos aceptable (no siempre, claro), siempre que se pidan excusas. Una persona que ocupa una posición de poder puede ser más impuntual.

....

3. Aunque en España se usa mucho el «tú» y la forma de vestir es relativamente informal, existe una clara jerarquía en las empresas que limita el poder de decisión de cualquier persona que no está en la posición superior.

....

4. El español se involucra personalmente en todo lo que hace, sin poder diferenciar entre el producto, lo que se hace, y quien lo hace. La expresión «no lo tomes personalmente» no tiene sentido. Todo se toma personalmente y hay que ir con mucho cuidado para no ofender.

....

5. La improvisación se ve, por parte de los españoles, como algo positivo que puede flexibilizar una negociación. Frente a una preparación concienzuda, el español prefiere la espontaneidad y la relación personal.

....

Notas de prensa

1 Valores importantes

Si su empresa le enviara como expatriado a una filial de otro país, ¿qué valores de la cultura de la sociedad global y organizacional consideraría que debe conocer para tener éxito en su integración? Justifique su respuesta.

tolerancia a la incertidumbre

colectivismo familiar

elitismo o distancia de poder (estatus)

orientación al futuro

igualdad de géneros

valor del tiempo

colectivismo vs. individualismo

2 Valores de su país

De la cultura organizacional y de liderazgo de su país, ¿qué tres valores destacaría a un extranjero que acaba de llegar? Indique algunos valores culturales que no se mencionan al inicio de esta unidad.

Lea el siguiente texto y responda las preguntas.

Cultura y liderazgo organizacional de América Latina

¿Existe homogeneidad cultural y de liderazgo organizacional entre los países de América Latina? ¿Cuáles son las diferencias entre la región latinoamericana y el resto del mundo, en términos de preferencias culturales y sobre el liderazgo organizacional? Estas dos preguntas centraron una exploración sobre los datos del estudio Globe, realizado en 64 países del mundo incluyendo diez de América Latina. Se trató de investigar la relación entre la cultura, variables organizacionales y liderazgo. Se midió tanto la descripción de su cultura como la preferencia por ciertos valores.

Según la encuesta Globe, parecen existir unos valores comunes en los gerentes del mundo, que se podrían caracterizar como una ideología particular. Entre los aspectos que definen esta ideología gerencial internacional, en primer lugar, los gerentes querrían que sus países se rigieran por criterios de éxito y resultados, que un desempeño sobresaliente fuera el parámetro de medida social. Segundo, los gerentes querrían que sus sociedades estuvieran más centradas en el futuro, que la gente pospusiera la gratificación inmediata y pensara más en lo que viene después: más ahorro, más planeación. Tercero, querrían sociedades más hu-

manitarias, generosas, solidarias y altruistas. En cuarto lugar, los gerentes desearían una sociedad menos individualista, donde hubiera más trabajo en equipo, un fuerte núcleo familiar y más responsabilidad personal sobre el bienestar colectivo. Estos datos no describen a los países, sino aquello que los gerentes desearían fuera de su país.

¿Cuáles son y cómo se diferencian estos valores internacionales de aquellos latinoamericanos? En general, los países de América Latina no son una excepción a las preferencias anteriores, pero sí hay algunas diferencias. La cultura latinoamericana resultó marcadamente diferente del promedio internacional en la alta tolerancia de la ambigüedad: los latinoamericanos y los de Europa del Este fueron los que viven mayor incertidumbre. Asimismo, los países latinos de Europa y América fueron los más individualistas del mundo, mientras que ocho de los diez países latinoamericanos encuestados se clasificaron entre los países del mundo con más altos valores de colectivismo familiar.

En orientación al desempeño, Europa del Este y los países latinos de Europa y América son los que tienen menor orientación a un alto desempeño. En la orientación al futuro se ob-

tuvo el mismo resultado anterior, los países latinos de América y Europa son junto a Europa del Este los de menor orientación al futuro.

Sobre el liderazgo organizacional, la concepción de los 1 400 gerentes latinoamericanos encuestados no es excesivamente diferente de la ofrecida por los demás gerentes del mundo. Se distinguen, sin embargo, del resto del mundo por su énfasis en la expectativa de un líder orientado al trabajo en grupo y a ser un buen colaborador de su grupo, al excelente desempeño (junto a los anglosajones), a ser administrativamente competente (junto a los países del Este de Europa), a ser sacrificado (junto a la India y otros países asiáticos, pero no los de cultura china), y a ser consciente del estatus (junto a los países de Oriente Medio). Por otra parte, tienen la más baja idea del líder individualista o autónomo (esto lo comparten con la Europa Latina y los países africanos), lo que confirma su orientación colectivista de grupos.

En síntesis, los resultados de los diez países latinoamericanos muestran gran homogeneidad cultural y de liderazgo, a pesar de su diversidad: Argentina, Bolivia, Brasil, Colombia, Costa Rica, Ecuador, El Salvador, Guatemala, México y Venezuela.

Adaptado de la revista *Latinoamericana de Administración*

1. ¿Qué revela el estudio Globe respecto a los resultados de los 10 países latinoamericanos?
2. ¿Qué valores son comunes en los gerentes del mundo?
3. En el texto se mencionan los elevados resultados de colectivismo familiar en los países de América Latina, pero también de individualismo. ¿Cómo explicaría estos datos aparentemente contradictorios?
4. ¿Coincide en algún punto la concepción de liderazgo de los ejecutivos latinoamericanos con los de su país?
5. ¿Qué resultado(s) del estudio Globe le ha(n) sorprendido más?

SIGLAS, ABREVIATURAS Y ACRÓNIMOS

AAC: Arancel Aduanero Común

AA. PP.: Administraciones Públicas

ACELC: Acuerdo Centroeuropeo de Libre Comercio

ACI: Alianza Cooperativa Internacional

AENOR: Asociación Española de Normalización y Certificación

AETR: Acuerdo Europeo sobre Trabajo de Tripulaciones de Vehículos que efectúen Transportes Internacionales por carretera

APEC: Cooperación Económica Asia-Pacífico (Asia-Pacific Economic Cooperation)

BCE: Banco Central Europeo

BC-NET: Red de Cooperación Empresarial (Business Cooperation Network)

BE: Banco de España

BEI: Banco Europeo de Inversiones

BOE: Boletín Oficial del Estado

CC. AA.: Comunidades Autónomas de España

CE: Comunidad Europea

CEEP: Centro Europeo de la Empresa Pública

CEOE: Confederación Española de Organizaciones Empresariales

CEPAL: Comisión Económica para América Latina

CMT: Confederación Mundial del Trabajo

CNAE: Clasificación Nacional de Actividades Económicas

CNE: Contabilidad Nacional de España

CNTR: Contabilidad Nacional Trimestral de España

CNUDMI: Comisión de las Naciones Unidas para el Derecho Mercantil Internacional

CUCI: Clasificación Uniforme para el Comercio Internacional

EIC: Centro de Información Empresarial (Euro Info Centre)

EICCN: Evaluación Internacional del Ciclo del Combustible Nuclear

EOQ: Organización Europea de Calidad (European Organisation for Quality)

EPA: Encuesta de Población Activa

ETT: Empresa de Trabajo Temporal

EU-18: Europa de los Dieciocho

EURES: Servicios Europeos de Empleo (European Employment Services)

EURIBOR: Tipo de Interés de Oferta de los Depósitos Interbancarios en Euros

EUROSTAT: Oficina de Estadística de la Comunidad Europea

FEI: Fondo Europeo de Inversiones

FME: Fondo Monetario Europeo

FMI: Fondo Monetario Internacional

Frontex: Agencia Europea para la Gestión de la Cooperación Operativa en las Fronteras Exteriores

GATT: Acuerdo General sobre Aranceles Aduaneros y Comercio (General Agreement on Tariffs and Trade)

HP: Hacienda Pública

I+D+i: Investigación, desarrollo e innovación

IAE: Impuesto sobre Actividades Económicas

IATA: Asociación de Transporte Aéreo Internacional (International Air Transport Association)

IBI: Impuesto sobre Bienes Inmuebles

IBEX: Índice de la Bolsa Española

ICAC: Instituto de Contabilidad y Auditoría de Cuentas

INE: Instituto Nacional de Estadística

INSS: Instituto Nacional de la Seguridad Social

IPC: Índice de Precios de Consumo

IPI: Índice de Producción Industrial

IRPF: Impuesto sobre la Renta de las Personas Físicas

IS: Impuesto sobre Sociedades

IVA: Impuesto sobre el Valor Añadido

NIF: Número de Identificación Fiscal

OCDE: Organización de Cooperación y Desarrollo Económico

OEP: Oficina Europea de Patentes

OMC: Organización Mundial del Comercio

ONG: Organización No Gubernamental

OPA: Oferta Pública de Adquisición

OPEP: Organización de Países Exportadores de Petróleo

PIB: Producto Interior Bruto

PNB: Producto Nacional Bruto

PYME: Pequeña y Mediana Empresa

RENFE: Red Nacional de Ferrocarriles Españoles

S. A.: Sociedad Anónima

SEPE: Servicio Público de Empleo Estatal

SIA: Sistema de Información Aduanera

SME: Sistema Monetario Europeo

TIC: Tecnologías de la Información y Comunicación

TIF: Transporte Internacional por Ferrocarril

TIR: Transporte Internacional de Mercancías por Carretera

TLC: Tratado de Libre Comercio

UE: Unión Europea

UEM: Unión Económica y Monetaria

VAB: Valor Añadido Bruto

PÁGINAS WEB DE CONSULTA

Instituciones y organizaciones internacionales políticas, financieras y comerciales

http://europa.eu/index_es.htm
–Unión Europea
http://www.bancomundial.org/
–Banco Mundial
http://www.mercosur.int/msweb/portal%20intermediario/
–Mercosur
http://www.wto.org/indexsp.htm
–Organización Mundial del Comercio
http://www.tlcan.com.mx/
–Tratado de Libre Comercio de América del Norte (TLCAN)
http://www.eclac.cl/
–Comisión Económica para América Latina
http://www.ftaa-alca.org/alca_s.asp
–ALCA (Área de Libre Comercio de las Américas)

Prensa general

http://www.elcastellano.org/prensa.html
–Esta lista, permanentemente actualizada, es la más completa relación de diarios en español por países existente actualmente en la Internet.
http://www1.lanic.utexas.edu/la/region/news/
–Directorio de periódicos de países de América Latina.
http://www.bbc.co.uk/mundo/
–BBC en español. Con un apartado sobre América Latina. Ofrece la posibilidad de ver algunas noticias en vídeo.
http://es.euronews.com/
– Euronews. Noticias de los países de la Unión Europea. Ofrece la posibilidad de ver las noticias en vídeo, con la transcricpción.

Prensa económica – portales, periódicos y revistas

http://www.expansion.com/
–Ofrece información sobre mercados, inversión y Bolsas, así como especiales sobre sectores, impuestos e inversiones.
http://www.expansionyempleo.com/
–Publicación especializada en RR.HH., empleo y desarrollo profesional. En la sección «Cine de gestión» se comentan películas de actualidad desde la perspectiva empresarial y de gestión. También incluye una sección sobre franquicias.
http://cincodias.com/
–Ofrece información sobre mercados, inversión y Bolsas y una sección sobre finanzas personales, entre otros.

http://www.intereconomia.com/
–En este sitio se puede acceder a los programas de radio y televisión especializados y centrados en las finanzas. Incluye un consultorio bursátil *on-line*.
http://www.economista.com.mx/
–El único periódico mexicano especializado en Economía, Finanzas, Negocios y Política.
http://www.americaeconomica.com/
–Publicación electrónica de información económica de América Latina. Completa web que ofrece la posibilidad de acceder a las noticias por sectores y países.
www.dinero.com
–Revista mensual de Colombia especializada en temas empresariales. Incluye una interesante sección llamada «Háblenos de su empresa», con casos reales de empresas españolas y latinoamericanas. También ofrece una sección multimedia con reportajes diversos sobre empresa y economía.
http://www.emprendedores.es/
–Revista mensual dirigida sobre todo a emprendedores.
www.actualidad-economica.com
–Publicación mensual. Sin suscripción, solo permite el acceso parcial a los artículos de su versión impresa.
www.el-exportador.es
–Revista mensual sobre exportación, publicada por el Instituto Español de Comercio Exterior (ICEX).

Diccionarios y glosarios

http://www.gruposantander.es/ieb/glosario/glosarioindex.htm
–Glosario bilingüe de términos financieros del Grupo Santander.
http://www.finanzasparatodos.es/es/secciones/glosario/
–Glosario monolingüe de finanzas para todos.
http://www.bde.es/bde/es/utiles/glosario/glosarioGen/
–Diccionario monolingüe general en página web del Banco de España con acceso a otros glosarios de temas específicos.
http://www.bcv.org.ve/c1/abceconomico.asp
–Diccionario monolingüe general del Banco Central de Venezuela.
http://www.abanfin.com/modules.php?name=Glosario&op=terms&eid=1&ltr=D -
–Glosario de términos económicos y financieros en portal sobre finanzas.
http://www.taric.es/services/glosario/glosario.asp
–Términos útiles en comercio exterior bilingüe, español-inglés.

http://www.cnmv.es/portal/AIdia/ActInternacional/Glosario.aspx

–Glosario bilingüe de acrónimos de Bolsa (Comisión Nacional del Mercado de Valores).

Empresa

http://www.emprendedores.es/crear-una-empresa/plan-de-negocios

–Revista *Emprendedores*. Publicación mensual. En el sitio web se permite acceder a bastantes artículos publicados de su edición impresa. Incluye una interesante sección con más de 40 modelos de planes de negocio, análisis de mercado, cifras económicas, ejemplos y consejos de emprendedores.

http://www.crear-empresas.com

–Esta página, completamente gratuita, pretende que todas aquellas personas que tengan pensado emprender una actividad por cuenta propia puedan tener una visión de los pasos a dar y de las obligaciones legales a que habrán de hacer frente.

http://www.gerenteweb.com/

–«El rincón del gerente» es un espacio temático en Internet dirigido a aquellas personas que están al frente de empresas pymes. Les ofrece aquellas informaciones, datos, herramientas de trabajo y servicios que pueden serles útiles.

www.laempresafamiliar.com

–Especializado en empresas familiares, con secciones sobre órganos de gobierno, gestión, sucesión y noticias de actualidad. Con un canal de TV.

http://www.iefamiliar.com/web/es/

–Sitio del Instituto de la Empresa Familiar (España).

http://www.pymempresario.com/2012/03/instituto-para-empresas-familiares/

–Instituto de empresas familiares creado por el Instituto Tecnológico de Monterrey (México).

Publicidad & *Marketing*

http://www.soyentrepreneur.com/contenidos/home.html

–Con el propósito de ayudar a las empresas en crecimiento y de promover la creación de nuevos negocios, este portal ofrece herramientas útiles que van desde cómo armar un plan de negocios y diseñar una estrategia de mercadotecnia, hasta cómo atraer capitales y vender por Internet.

http://www.estrategias.com/

–Portal sobre *marketing* y publicidad. Permite el acceso parcial a los artículos de su edición impresa. Incluye los apartados de

marketing directo, promocional y anunciantes, entre otros. Proporciona una lista muy completa de enlaces a portales del sector.

http://www.marketingnews.es/

–Noticias sobre marcas, distribución y publicidad.

Banca y finanzas

http://www.abanfin.com/index.php

–Portal de asesores bancarios y financieros, destinado tanto para empresas como particulares. También incluye información sobre exportación.

http://www.terra.com/finanzas/?PPC=google_midinero

–Sitio con información financiera (mercados, dinero, créditos, etc.).

http://aprenderbolsa.com/

–Aprender Bolsa pretende ser el blog donde poder aprender los conceptos básicos del mundo de la bolsa y los mercados financieros. Analistas novatos y avanzados encontrarán información útil para enfrentarse a los mercados día a día. Incluye un glosario.

Importación-exportación

www.icex.es

–Instituto Español de Comercio Exterior, con enlace a su revista «El Exportador».

www.iberglobal.com

–Sitio web creado por un grupo de profesionales relacionados con el comercio exterior y la internacionalización.

http://www.plancameral.org/

–Plan de las Cámaras de Comercio españolas para la promoción de comercio exterior. Incluye una sección de herramientas de apoyo al exportador (información sobre países, documentación, etc.).

www.oficinascomerciales.es

–Red de oficinas comerciales de España en el exterior.

Responsabilidad Social Corporativa

http://www.observatoriorsc.org/

–Observatorio de Responsabilidad Social Corporativa, con boletín de noticias, posibilidades para colaborar y vídeos de temas relacionados con la RSC.

http://www.responsabilidadsocialempresarial.com/

–Sitio que compila blogs clasificados por áreas temáticas relacionadas con la RSC.

TRANSCRIPCIONES

Unidad 1. LA EMPRESA

Manuel Arias y Bruno Bertuzzi quieren implantar una empresa en España y deciden consultar a María Reyes, asesora de empresas.

Sra. Reyes: Buenos días, siéntense, por favor. Ustedes dirán.

Sr. Arias: Verá usted, nuestra idea *es montar un negocio* de importación-exportación en España. Sabemos que hay varias formas de organizar el *capital* y la responsabilidad de los *socios*, pero no entendemos bien la diferencia que existe entre las distintas *sociedades mercantiles*. ¿Podría usted explicarnos qué es una sociedad anónima (S. A.) exactamente?

Sra. Reyes: Por supuesto. Miren ustedes, la característica fundamental de una S. A. es que el *capital social* se divide en *acciones* que, con frecuencia, cotizan en *Bolsa*. Si la sociedad se declara en *quiebra*, los socios no responden con su *patrimonio* personal. La empresa está dirigida por un *consejo de administración* que es nombrado o ratificado por la *junta general de accionistas*.

Sr. Arias: Ya veo, sí… pero en la sociedad de responsabilidad limitada (S. R. L) los socios tampoco son responsables, ¿no?

Sra. Reyes: No exactamente. Vamos a ver, en la S. R. L. sí son responsables, pero esta responsabilidad depende de la aportación de capital de cada socio. El capital está dividido en *participaciones* iguales, acumulables e indivisibles.

Sr. Bertuzzi: Ya… Pero además, hay otros tipos de sociedades, ¿no es así?

Sra. Reyes: Sí. Están la sociedad comanditaria y la cooperativa. En la comanditaria existen dos tipos de socios: los colectivos, con responsabilidad ilimitada personal, y los comanditarios, cuya responsabilidad se limita a los fondos que aporten.

Sr. Bertuzzi: Y… en nuestra situación, ¿sería aconsejable una sociedad cooperativa? Se pagan menos *impuestos*, ¿no es verdad?

Sra. Reyes: Me temo que, en su caso, es un poco difícil, puesto que se trata de una empresa cuya actividad es la *importación-exportación* y la característica fundamental de las sociedades cooperativas es que realizan cualquier actividad económico-social para la mutua y equitativa ayuda entre sus miembros.

Sr. Arias: En fin, con todos los datos que nos ha dado, estudiaremos cuál es la mejor opción. Muchas gracias por su ayuda, señora Reyes. Seguiremos en contacto.

El señor Elosúa, director general del grupo Elosúa, concedió una entrevista al periódico El PAÍS.

1. ¿Podría decirnos cómo se llevó a cabo la adquisición de la empresa Carbonell?

La empresa Carbonell se constituyó hace 125 años con un capital social de 4500 euros y, con el paso del tiempo, se ha convertido en la primera firma en el sector del aceite. Hace 5 años, ante su segura compra por un grupo multinacional, la administración apoyó al grupo Elosúa con un crédito de 27 millones de euros para la adquisición de la empresa.

2. ¿Cómo dirigió Elosúa la operación?

Carbonell es el buque insignia del grupo Elosúa y hemos utilizado nuestras mejores ideas y nuestros mejores hombres para rentabilizar más la marca. Esta ha sido la mejor operación que Elosúa ha hecho en su historia, dado que Carbonell ha aumentado el valor de la empresa para sus accionistas, y ha asegurado unas mejores posibilidades de desarrollo profesional para sus empleados.

3. En alguna ocasión usted ha dicho que el aceite no era negocio y que había otras actividades más rentables, ¿significa que ha considerado la posibilidad de cambiar de actividad?

Indudablemente dentro del grupo tenemos actividades más rentables. En los últimos meses aceites ha ganado 4,8 millones de euros, pero sobre unos fondos propios invertidos en ese sector de 4,2 millones de euros, una rentabilidad mucho más baja que los 1,06 millones de euros que ha ganado legumbres, con una inversión de 2,4 millones de euros. Eso no quiere decir que no sea un negocio muy rentable a medio plazo. Pero en cualquier caso, Elosúa tiene una vocación de permanencia clara en el sector aceites, porque consideramos que España puede tener futuro en aquellos productos en los que tenga una posición competitiva mundial, como pueden ser aceites, aceitunas y legumbres.

4. ¿Cuál es la situación del grupo en política exterior?

Nuestra política exterior está relacionada con el objetivo de los tres productos mencionados. Por un lado, tenemos empresas en México y Argentina que son para controlar el mercado local de producción, aunque también se realicen ventas. En México ya somos la segunda marca y nuestras ventas han crecido un 50%.

Unidad 2. RECURSOS HUMANOS

Margarita Sánchez, licenciada en Informática, tiene una entrevista personal con Manuel Esplugas, director de Recursos Humanos de Consultores A-X S. A.

Sr. Esplugas: Bien, señorita Sánchez. Como usted sabe, ha superado la primera fase del proceso de selección y ahora me gustaría hablar un poco más sobre sus motivaciones y aspiraciones. A primera vista, su preparación parece suficiente, sin embargo, no tiene demasiada experiencia en consultoría.

Srta. Sánchez: Efectivamente, pero también es cierto que mientras terminaba la *carrera* de Informática hice unas prácticas en una consultoría. Por otro lado, desde 2008 hasta 2013 estuve como programadora en la *filial* de IBM en Valencia y desde entonces, como puede ver en mi currículum, trabajo en un *proyecto de desarrollo*. El *anuncio* hablaba de un *puesto* de ayudante de proyecto y por eso creo que mi perfil y formación encajan con lo que ustedes buscan.

Sr. Esplugas: Como sabe, Consultores A-X S. A. es una pyme con una *plantilla* bastante reducida. De nuestro *personal* valoramos el entusiasmo y las nuevas ideas. Exactamente buscamos una persona capaz de ayudar a dirigir y organizar el trabajo del Departamento de Informática. ¿Se ve usted desempeñando esta responsabilidad?

Srta. Sánchez: Bueno, mis responsabilidades actuales son parecidas, por lo cual estoy segura de que no tendré ninguna dificultad.

Sr. Esplugas: ¿Cuáles son sus aspiraciones económicas?

Srta. Sánchez: Pues, actualmente, mi *salario bruto anual* supera los 22 000 euros y considero que mi responsabilidad en Consultores A-X S. A. sería superior a la actual.

Sr. Esplugas: Ya veo. Nosotros le podemos ofrecer un *contrato indefinido* con seis meses de prueba. En cuanto a la remuneración bruta anual hablaríamos de 27 000 euros... Pues, si está conforme con las condiciones, en el Departamento de Recursos Humanos le informarán de la documentación que tiene que aportar para formalizar el *contrato*.

***

Sra. Díaz: Bien, señorita Sánchez, las condiciones son las siguientes: un contrato indefinido con seis meses de prueba. Un salario bruto anual de 27 000 euros dividido en catorce: doce *pagas mensuales* y dos *pagas extraordinarias* en julio y en diciembre. *El horario laboral* es de 8:30 h a 14:00 h y de 15:00 h a 18:00 h, de lunes a jueves. Los viernes y los meses de julio y agosto tenemos jornada intensiva de 8:00 h a 15:00 h. Necesito su NIF y...

 El señor Julio López-Amo, director general de la firma Head–Hunting Transearch, *concedió una entrevista al periódico* La Vanguardia.

1. ¿Qué tipo de empresas son las que solicitan la colaboración de una firma de cazatalentos?

Suelen ser empresas de tamaño medio, con una facturación por debajo de los 30 millones de euros. Parte de ellas están situadas fuera de Barcelona capital. Las empresas grandes suelen utilizar la política de promoción interna. Se trata de compañías cuyo sistema de organización tiene un mayor peso específico que el hombre en particular, mientras que en las empresas de tamaño mediano sucede lo contrario.

2. Algunas compañías consideran caros los servicios de los *head-hunters*, ¿es cierto?

Todo servicio de calidad es lógico que sea caro. La búsqueda de un candidato requiere varios meses, aplicar una compleja metodología y mucho rigor de análisis. Por lo tanto, creo que los cazatalentos ofrecemos un servicio de calidad y resultamos rentables, teniendo en cuenta que los candidatos que elegimos pueden hacer ganar mucho dinero a la compañía.

3. ¿Qué es lo primero que hace un profesional de *head-hunting*

cuando una empresa le pide que busque a un alto ejecutivo?

Lo primero es realizar un detenido análisis de la compañía en cuestión. Este análisis implica conocer qué tipos de producto fabrica, el sector donde se mueve, quiénes son sus clientes, cuáles son las firmas de la competencia, cuál es su estrategia y planificación, qué tipo de cultura empresarial ha establecido y la línea de identidad corporativa que ha elegido.

4. ¿Cómo se inicia el análisis del candidato elegido para una determinada empresa?

Comienza con una serie de entrevistas en profundidad para conocer a la persona desde dos ópticas: su trayectoria profesional y sus características humanas. La siguiente fase consiste en solicitar referencias del candidato en aquellas empresas en las que ha desempeñado su labor anterior, a excepción de aquella en la que está trabajando. Los mismos aspirantes suelen proporcionar al *head-hunter* una lista de personas que pueden dar referencias de su trayectoria.

Unidad 3. *MARKETING* Y PUBLICIDAD

 Luis Fenosa, nuevo en el Departamento Comercial de la agencia de viajes AVENTURA, habla con su compañera Teresa Campuzano.

Luis: Pues sí, Teresa, lo cierto es que estoy bastante preocupado por la *feria*. Es la primera vez. No sé si estoy preparado para hacerme cargo del *stand*.

Teresa: No te preocupes. Tenemos tiempo suficiente para prepararlo todo y seguro que lo harás muy bien. De todas formas, lo importante es no olvidar que una parte fundamental para el buen funcionamiento de un negocio es darse a conocer tanto a los *clientes* como a los *proveedores*.

Luis: ¡Desde luego! Por cierto, ¿qué te parece el vídeo que ha preparado la *agencia de publicidad*? Desde mi punto de vista es un anuncio de televisión excelente.

Teresa: Sí, y aunque el *coste* ha sido elevado, pienso que utilizar los *medios de comunicación* en el *campo* de la publicidad es fundamental.

Luis: Hablando de medios, las *viñetas* del cómic sobre los «viajes especiales» que publicamos el domingo en el *periódico* se adaptaban muy bien al mensaje que queríamos transmitir, ¿no te parece?

Teresa: ¡Ya lo creo! El objetivo es que aparezcan también en los folletos que vamos a repartir en la feria.

Luis: Volviendo al tema de la feria, aparte de los folletos, ¿de qué material disponemos?

Teresa: Pues verás, hay *catálogos* muy detallados y también *dípticos* con fotos y listas de precios. Por cierto, ¿has visto lo que dice el eslogan del verano para los viajes especiales? A ver si te gusta. Dice:

«¡Atrévete!». Ya sabes que este año estamos *promocionando* viajes «atrevidos». Confiamos en que tengan éxito. El *público objetivo* al que pretendemos atraer es gente joven con posibilidades económicas.

Luis: Bueno, quizá me llegue nuestra propia publicidad a casa uno de estos días. ¿Me atreveré a ir de viaje? ¿Me haréis *descuento*?

Teresa: Por supuesto, y si nos consigues clientes en la feria, incluso te regalaremos los *carteles* que sobren para que decores tu casa con imágenes de todo el mundo.

 El señor Martín Sorrell, presidente de Wire Plastic Products, *uno de los primeros grupos mundiales de publicidad y comunicación empresarial, habla para* La Vanguardia.

1. Señor Sorrell, ¿podría definir el perfil del consumidor hoy?

Creo que el consumidor cada vez tiende a ser más sabio y exigente. Asimismo, ya no cabe hablar de un consumidor global, sino de grupos de consumidores. Eso no quiere decir que en el futuro dejen de existir productos y marcas globales. Por ejemplo, en la Europa del mercado único, una empresa puede fabricar un producto para venderlo al resto del continente, pero deberá diferenciar claramente el tipo de publicidad que ha de hacer en cada país. Es evidente, también, que hoy en día la publicidad cada vez va más dirigida a franjas de consumidores en función de sus necesidades, cultura y poder adquisitivo.

2. ¿Se puede hablar de un cambio importante en las estrategias de publicidad durante los últimos años?

La pregunta es muy amplia, pero creo que el factor que ha dinamizado más este sector desde la Segunda Guerra Mundial ha sido el desarrollo de la televisión. En 1989, un tercio de la inversión publicitaria se destinó a este medio. Como ejemplo significativo podemos fijarnos en Gran Bretaña, que de 4 canales ha pasado a 20, entre terrestres, vía satélite y cable.

No obstante, insisto en que el gran problema con el que topa mi sector es que los canales de la publicidad en televisión se han disparado, incluso por encima de la inflación, y que los clientes empiezan a mostrarse reticentes a invertir en este medio. Pero el otro problema de fondo estriba en que estos elevados costes no guardan relación con la calidad de los programas. Los espectadores, en especial en Europa, empiezan a quejarse de que se les ofrecen programas y series que repiten fórmulas experimentadas por EE. UU. años atrás.

3. ¿Cree que es posible que el ciudadano se rebele ante el bombardeo publicitario?

En varios países ya hay constancia de que esto está pasando, en especial con la publicidad por correo. Por lo tanto, nuestra misión consiste en ser cada vez más creativos para entregar un mensaje al consumidor sin necesidad de atosigarle. Pero esto ocurre también en el campo de los medios de comunicación. Hace poco tiempo, en Gran Bretaña, había solo dos diarios con ediciones de calidad el domingo, ahora hay bastantes más. La comunicación, en todas sus vertientes, medios escritos y audiovisuales, telecomunicaciones y transporte, es cada vez más rápida y compleja, y ello nos obliga a buscar otras fórmulas alternativas a las tradicionales para evitar un exceso de masificación.

4. ¿Cuál es su opinión sobre el nivel que ha alcanzado la publicidad en España?

Bueno, he de confesar que no soy un experto en publicidad, ya que nunca he redactado un anuncio. Como usted sabe, yo soy economista y analizo este sector desde un punto de vista económico. Pero sí puedo decir que el mercado publicitario en España, al igual que en otros países del sur de Europa, ha registrado un crecimiento en torno al 20 % anual. Realmente hay que admirar el nivel creativo que ha alcanzado la publicidad en su país. También sorprende ver el fuerte crecimiento experimentado por el mercado de la televisión.

Unidad 4. COMPRAS Y VENTAS

 En el despacho de Juan Cuevas, director de ventas de la empresa Bandes. Juan y Felipe hablan de la gestión del stock.

Juan: Oye, Felipe, ¿cuándo vencen los *plazos de entrega* de los últimos *pedidos*?

Felipe: Ahora que lo dices, deben estar a punto de vencer, ¿por qué?

Juan: Me da la impresión de que no recibiremos el algodón a tiempo.

Felipe: Es que deberíamos tener más de un *proveedor*, ya que si este deja de suministrarnos, estaremos sin *existencias* y no podremos cumplir los *plazos de entrega*.

Juan: Según el *inventario*, todavía podemos confeccionar unas 25 000 camisetas más, pero ten en cuenta que nuestro compromiso es entregar 40 000 esta temporada. Si no llega el algodón, quizá anulen los pedidos.

Felipe: No lo creo, ya sabes que nuestros *competidores* están en fuerte desventaja tanto en *calidad* como en *precios* y seguimos a la cabeza del sector gracias a que tenemos un producto muy competitivo. Pero hemos de andar con pies de plomo porque amenaza crisis en el *sector*. Yo prefiero no cantar victoria hasta ver la *mercancía* con mis propios ojos.

Juan: Ahora mismo llamo y reclamo el *envío* del pedido. De paso, hablaré con Maribel para que nos informe de cómo van las *ventas* de camisetas.

***

Juan: ¿Maribel? Soy Juan, de ventas. ¡Dime!, ¿qué tal todo?

Maribel: ¡No me hables! Hoy me ha llamado el *mayorista* Vistabien para hacer una *reclamación* por culpa de un error en la *entrega*. En-

viamos a un vendedor nuevo al *punto de venta* y en lugar de anotar todo al pie de la letra, apuntó mal el *número de referencia* de la mercancía. Así que Vistabien pretende que les hagamos una rebaja a causa de la *demora* en la entrega. El caso es que ya les ofrecemos *descuento* y *facilidades de pago* por buenos clientes y, si aceptamos otra rebaja, se va a reducir mucho nuestro *margen de beneficios*.
Juan: Bueno, pues no te doy más la lata. Volveré a llamar más tarde y me dices cómo se ha solucionado el asunto.

Cecilia Imbasteri, empresaria de Rosario, Argentina, apostó por su negocio en un contexto económico nada favorable. Su logro fue levantar un proyecto a base de ilusión y constancia. La señora Imbasteri concedió una entrevista al diario La Nación.

1. **Señora Imbasteri, ¿cómo empezó en el mundo de las ventas?**

Comencé casi por casualidad en el mundo de las ventas. A través de una invitación de unos amigos. Aunque he de confesar que desde el primer momento, me enamoré de esta profesión y supe que era mi vocación. Al principio debo admitir que tuve bastantes prejuicios, sobre todo los impuestos por la sociedad, que me indicaban seguir una carrera universitaria para obtener un futuro. Hoy, después de mucho tiempo y miles de historias vividas sé que la venta fue lo único que me ayudó no solo a subsistir en un ambiente totalmente adverso, sino también a «marcar la diferencia» de ingresos económicos y éxitos.

2. **¿Qué es lo que más le gusta de su trabajo?**

Principalmente el trato con todo tipo de personas. Esto me apasiona. Me encanta estudiar a la gente y generarles la necesidad de que demanden el producto que vendo. Observar cómo, con un trato exclusivo y explicando claramente tu producto o servicio, en la gran mayoría de los casos te vas llevando a la gente a tu terreno y les convencés de que tu producto o servicio es el que ellos necesitan. Siempre con honestidad, sinceridad y profesionalidad. La venta en muchos casos es un proceso duro, pues a veces la gente se muestra reticente ante el producto que les presentás. Hay que ser muy imaginativo y perseverante para conseguir «convencer», que crean en ti y que adquieran tu producto o servicio. Para mí la venta no es solo facturar cuanto más mejor: se trata de un proyecto en su totalidad.

3. **¿Cree que las empresas deberían potenciar el uso de las nuevas tecnologías entre los vendedores?**

Las nuevas tecnologías deberían potenciarse, pero logrando el justo equilibrio, sin abusar de ellas. Es decir, la tecnología al servicio del vendedor y no al revés. Los excesos son malos en todos los sentidos. La moda o el auge de algo no debe superar el verdadero servicio que nos presta una tecnología avanzada. Nunca se puede reemplazar el contacto humano al momento de cerrar una venta.

4. **¿Cuál es el futuro de esta profesión?**

Si logramos formar vendedores profesionales, el futuro será óptimo. Deberíamos tener en mi país carreras terciarias y universitarias para vendedores profesionales. De no ser así la profesión seguirá desprestigiándose y nos será muy duro remontarla. Con el auge de las ventas por Internet también se tiende a «eliminar» al vendedor, pero creo que cuando se pasa un furor se retoma el equilibrio y allí aparecerá otra vez la figura del vendedor. Sin vendedores no hay consumo. Sin consumo no existen los países. El servicio de pre y postventa que realiza un vendedor es irreemplazable por la tecnología. Nunca podemos, como vendedores, decir que una persona no está interesada en un producto o servicio por el hecho de haber respondido a una encuesta de *telemarketing*, por ejemplo. Si nos mantenemos los vendedores unidos y capacitados constantemente, el futuro es nuestro.

Unidad 5. IMPORTACIÓN Y EXPORTACIÓN

Elena Ferrer, gestora de una empresa familiar, habla con el director, el señor Rubio.

Elena: Mira, acaba de llegarnos información de la *Cámara de Comercio* sobre la organización de una feria de accesorios de jardín en Chile. ¿Qué te parece lo de participar este año con nuestros nuevos productos? Quizá podamos entrar en ese *mercado*.
Sr. Rubio: Pues... no sé qué decirte. Sugeriría que nos informáramos bien en la Cámara. Supongo que nos darán un buen servicio.
Elena: Imagino que sí. Cuando se creó esta empresa nos orientaron estupendamente en todos los *trámites* administrativos. A propósito de trámites, ¿recuerdas a Ángel Herrera? Ahora se dedica a gestionar todas las incidencias relacionadas con la entrada de *mercancías* en el país, controlar su paso en la *frontera* y cobrar *aranceles* e impuestos a las mercancías importadas. Me explicó, también, que cuando se trata de importar materias primas o productos semielaborados que se incorporan a productos nacionales que van a ser exportados, según el tipo de productos que se importen, se les aplican unos *impuestos de compensación* u otros.
Sr. Rubio: Tal vez deberías dedicarte a dar conferencias sobre *exportación*, serías una buena ponente.
Elena: ¡Vaya! Justamente la Cámara me ha propuesto dar un curso de formación a jóvenes empresarios. Ahora tendré que ponerme al día en normativa y *regulación* de mercados internacionales.
Sr. Rubio: Pues nada, si quieres, mientras comemos, hablamos sobre todo lo relativo al *convenio* y el *certificado de origen* para Chile y en qué *mercados* internacionales participa ese país. Necesitaremos toda esa información si al final decidimos asistir a la feria.

El señor Torres, de la empresa vinícola española Miguel Torres S. A., empresa líder en el sector, tanto en comercio interior como exterior, nos concedió la siguiente entrevista:

1. ¿Podría decirnos cuál ha sido su estrategia a lo largo de estos años?

Más que estrategia, podríamos hablar de un concepto del trabajo y del negocio que se basa en el trabajo duro, la perseverancia, la honestidad con el cliente y la calidad. Este concepto lo fue desarrollando mi padre a lo largo de todos sus años de gestión.

2. ¿Ha cambiado ahora su estrategia?

No, ahora no ha cambiado. Simplemente, ha crecido. Tenemos un equipo especializado que se centra, entre otras cosas, en controlar las partidas de vino. Si se produce alguna que no alcanza la calidad deseada, la retiramos inmediatamente. Además, nuestro equipo se dedica a investigar, innovar, mantener y superar la imagen de Torres. Por ejemplo, hemos sido pioneros en la plantación de cepas extranjeras, también hemos sido los primeros en mantener una relación directa con los clientes extranjeros.

3. ¿Qué barreras se encuentran a la hora de entrar en otros países?

En realidad, si me habla usted de aranceles, nos encontramos con las mismas barreras que puede encontrarse cualquiera. En EE. UU., por ejemplo, los aranceles son muy fuertes. Por otra parte, están aquellos países cuya industria interior se muestra muy reacia a importar, como Japón o China.

Las más importantes fueron las barreras culturales, ya que tradicionalmente se consideraba que solo el vino francés tenía calidad. Afortunadamente, logramos romperlas.

4. Usted ha dicho que Torres es una empresa familiar, ¿va a cambiar?

No, aunque ahora haya habido cambios en la administración, ya que el puesto de mi padre como administrador único ha sido sustituido por un órgano de gobierno formado por presidente, vicepresidente, consejero-delegado, vocales y secretario, no tenemos intención de cambiar. No vamos a cotizar en la Bolsa, por ejemplo, ni vamos a pedir dinero prestado. Todo esto sería salir de nuestro concepto de empresa familiar. Vamos a seguir creciendo dentro de nuestras propias limitaciones.

Unidad 6. LA BANCA

 La señora Bustamante entra en su **sucursal bancaria** habitual y se dirige a una **ventanilla**.

Sra. Bustamante: Disculpe, vengo a consultar mi *saldo* actual y a cobrar un *cheque*.

Empleado: Para cobrarlo primero debe *endosarlo*, es decir, firmarlo al dorso.

Sra. Bustamante: ¿Ah, sí? Otras veces me han abonado el importe sin tener que firmarlo.

Empleado: Mire, este es un *talón nominativo*.

Sra. Bustamante: Es verdad, no me había fijado.

Empleado: Lo siento... no se lo podemos *abonar*. Le explico, es un *talón barrado* y solo puedo ingresárselo en su *cuenta corriente*.

Sra. Bustamante: ¡Qué raro! En fin... no hay problema. Por cierto, ¿podría hablar con el director?

Empleado: Sí, mire, en ese despacho.

***

Sr. Palacios: Buenos días, señora Bustamante, usted dirá en qué puedo ayudarla.

Sra. Bustamante: Buenos días, señor Palacios. Verá, tengo la intención de montar un negocio, un pequeño restaurante con encanto y querría asesorarme sobre los trámites necesarios para pedir un *préstamo*.

Sr. Palacios: Pues, si me permite un consejo, lo mejor es solicitar un *crédito* en lugar de un préstamo. Mire, si el banco le concede un préstamo, pone una cantidad determinada a su disposición y le va a *cobrar* por toda esa cantidad sin importar si usted tiene o no la totalidad de lo que pidió. En cambio, en el crédito, el banco pone a su disposición una cantidad de dinero, pero solo le va a cobrar por aquello de lo que usted disponga, es decir, por lo que gaste.

Sra. Bustamante: Ya veo. Entonces, ¿qué trámites debo seguir?

Sr. Palacios: ¿Trabaja usted?

Sra. Bustamante: No, actualmente no trabajo.

Sr. Palacios: En ese caso, necesitaríamos saber si usted cuenta con algún tipo de *patrimonio* o *avales* solventes. El banco, por su parte, analizará el tipo de negocio para conocer los riesgos que podríamos correr.

Sra. Bustamante: ¿Qué *intereses* tendría que pagar?

Sr. Palacios: Los *réditos* dependen de la cantidad de dinero que usted solicite.

Sra. Bustamante: Creo que lo más adecuado es volver otro día con más calma para puntualizar todos los detalles. Gracias, señor Palacios.

Sr. Palacios: Buenos días, señora Bustamante.

 "la Caixa" elimina las comisiones en los pagos con tarjeta de menos de 10 euros.

Pagar un café con tarjeta de crédito va a dejar de ser misión imposible. "la Caixa" ha comenzado a comercializar un servicio de pago con tarjeta en los comercios que eliminan las comisiones que tenían que pagar antes a la entidad bancaria en compras inferiores a 10 euros. De esta forma, se elimina el principal obstáculo por el que bares y otros comercios se negaban a aceptar pagos con tarjeta por pequeñas cantidades.

1. ¿Cuál es el objetivo de la entidad con la puesta en marcha de este nuevo servicio?

Con este nuevo servicio, la entidad quiere captar 40.000 nuevos clientes y aumentar un 30% su facturación. Así, fomentará el uso de las tarjetas en las operaciones de pequeña cuantía. Este nuevo producto, además, responde a la estrategia marcada por la entidad tras la rebaja de la tasa de intercambio (el importe que cobran las entidades cuando una operación se abona en un comercio con tarjeta). El objetivo ha sido crecer en volumen de clientes, a los que tratamos de tener más vinculados a través de más productos.

2. ¿Cómo se aplicará este servicio y cómo será el proceso?

La eliminación de las comisiones se aplicará tanto a las tarjetas de la entidad como a las de otros bancos y cajas y el servicio se mantendrá sin coste durante los 6 primeros meses. Después, "la Caixa" ofrecerá a los comercios una tarifa mensual de 5 euros por cada 200 operaciones (0,02 euros por transacción) para los pagos de menos de 10 euros. Para las compras de mayor importe, la entidad también tiene previsto personalizar el coste de cada transacción. Asimismo, la eliminación de las comisiones servirá como banco de pruebas para futuras actuaciones. Cuando veamos el resultado de este producto, veremos si es posible ampliar esta oferta a pagos de mayor importe.

3. ¿Qué otras ventajas tiene este servicio?

El nuevo servicio también agiliza el pago, ya que elimina la firma del cliente y el archivo de la copia es automático, sin que el comercio tenga que archivar los resguardos que certifican la transacción. Asimismo, la entidad ha ampliado su oferta en datáfonos, con terminales que operan con tarjeta de telefonía móvil GPRS, con lo que se elimina el coste telefónico en las transacciones para el comercio. Hemos puesto en marcha productos diferenciados para cada tipo de comercio, ya que cada uno de ellos precisa de soluciones diferenciadas. Para "la Caixa", este nuevo servicio beneficiará, principalmente, a establecimientos como farmacias, bares, tintorerías, droguerías, supermercados y mercados municipales.

Unidad 7. LA BOLSA

En 1893 se inaugura este palacio de estilo neoclásico en la línea de los otros palacios de Madrid de la época, como el Banco de España, la Biblioteca Nacional, el Museo del Arte Moderno y la Real Academia de la Lengua.

Guía: Están ustedes viendo el edificio de la Bolsa de Madrid. Como ya saben, en España existen cuatro *Bolsas*: Madrid, Barcelona, Bilbao y Valencia. Aquí se ve cómo se amasan y pierden grandes fortunas, aunque, por supuesto, tiene un *volumen de contratación* superior a otras Bolsas. Ahora asistiremos a una *sesión bursátil*.

Ramón: Disculpe, ¿hay asignación de tiempo para los *valores* que se cotizan en Bolsa?

Guía: Antes sí, ahora todos pueden contratarse al mismo tiempo. Es lo que se denomina *mercado continuo*.

Ramón: ¿Qué tipo de *acciones* se contratan en Bolsa?

Guía: Vayamos a la sala principal. Allí les expondré todo lo referente a la contratación en los *corros*. Miren, ahí, en ese corro es donde se contratan las acciones de empresas grandes españolas, los cupones en *ampliación de capital* y la *renta fija*, es decir, el mercado monetario. En aquella pantalla pueden ustedes ver el *índice bursátil* que nos indica la subida o bajada de la cotización global. Aquellas personas de allí son los brokers o agentes de cambio y bolsa. Ahora no vienen mucho porque pueden operar a través de Internet. Estos agentes son los que contratan en el *mercado de valores* por cuenta de otros.

Ramón: Perdón. Lo que vemos en ese monitor son las *cotizaciones*, ¿no es cierto?

Guía: Exactamente. También pueden observar el indicador que anuncia cómo va la Bolsa en función de las *operaciones bursátiles* realizadas hoy. Como ven, parece que va bien, pero no hay que ser demasiado optimistas ya que las cosas, en Bolsa, cambian muy rápidamente.

Ramón: Pues parece un buen momento para invertir ahora. ¿Me equivoco?

Guía: Depende. El *mercado alcista* puede ser beneficioso para los inversores, pero nunca se sabe cuánto puede durar esta tendencia al alza y... de todas formas, si están muy interesados, encontrarán esa información en nuestra página web donde, además, podrán consultar el *índice* de los valores cada día. Eso es todo, muchas gracias por su atención.

J. María López-Arcas, agente de Bolsa e inspector de finanzas del Estado, concede una entrevista al periódico Expansión.

1. Señor López-Arcas, ¿cuál es el contenido de su tesis?

Su título, resumido de cara a su publicación, sería «La Bolsa de Europa», y pretende analizar la realidad actual del mercado bursátil y las previsiones de futuro.

2. ¿Cómo sería esa única Bolsa?

Ante todo sería europea, informatizada, conectada con los demás sistemas bursátiles nacionales, que pasarían a ser terminales contractuales. Esta Bolsa contaría con el apoyo del Banco Europeo Futuro del que debe depender, porque, a mi juicio, debe haber una unidad en la gestión de los mercados financieros y bursátiles.

3. ¿Qué títulos cotizarían en esa Bolsa?

En un primer mercado informatizado, cotizarán los más importantes que hoy se mueven a nivel europeo, los 300 o 400 más significativos. También debería existir un segundo mercado para otros valores, que podrían cotizar en los sistemas bursátiles nacionales y serían accesibles informáticamente desde Europa.

4. ¿Es la Bolsa europea una decisión fundamentalmente política?

No. Esta misma pregunta me la he planteado yo en mi tesis y la respuesta final es negativa. La tesis llega a una primera conclusión, y es que el proceso de unificación de los mercados bursátiles europeos es algo que, aunque no fuera razonable económicamente, deriva del proceso de unidad europea. Pero también me pregunto si además de esta razón política, no existe también una económica sobre la base tanto de la diferencia horaria europea, como del problema de afrontar los costes operativos de tantos mercados.

Unidad 8. LOS IMPUESTOS

 La señora Vázquez va a visitar al señor Sanz, asesor fiscal, con el fin de que le informe sobre los impuestos relacionados con su empresa.

Sra. Vázquez: Bien, señor Sanz, como ya hablamos la semana pasada, me gustaría que me explicara cómo funciona el *sistema fiscal* español. Tal como le comenté, estoy interesada en establecer aquí mi negocio, pero desconozco las *obligaciones tributarias* del Estado español.

Sr. Sanz: Vamos a ver, en primer lugar, tiene que saber que no solo el Estado impone unos *tributos*, también están los *impuestos municipales* como el de la *contribución territorial* con el que debemos contar en su caso, ya que usted posee un inmueble en propiedad. Vayamos por partes. En su situación, como se trataría de una empresa ubicada en España, ha de tener en cuenta el Impuesto sobre Beneficios de Sociedades que, tal como su nombre indica, grava los beneficios de las sociedades al final de cada *ejercicio fiscal* con un *tipo impositivo* que puede cambiar. Por otro lado, está el *IVA* cuyo porcentaje depende del producto que se venda.

Sra. Vázquez: Sí, como en mi país. Un aspecto fundamental que no debemos olvidar es el de las *deducciones fiscales.*

Sr. Sanz: Naturalmente. Es un punto que hay que tener en cuenta, pero lo consideraremos más adelante. De momento, le indicaré que, dependiendo de la Comunidad Autónoma donde afinque su negocio, podría tener una importante *deducción* de sus impuestos por creación de empleo, por *investigación*, *desarrollo e innovación tecnológica*, por *inversión en activos*, por invertir en zonas de reindustrialización, etc.

Sra. Vázquez: Me veo ya como una *contribuyente* española. ¿Podríamos vernos la semana próxima cuando tenga más datos de mi socio?

Sr. Sanz: Cuando quiera. Estamos siempre a su disposición. Hasta pronto, entonces.

 Entrevista al Sr. Pont Clemente, catedrático de Derecho Financiero y Tributario de la Universidad de Barcelona.

1. Señor Pont Clemente, ¿cómo se puede ahorrar fiscalmente?

En el Impuesto sobre la Renta se han reducido notoriamente las posibilidades de desgravación, pero continúan existiendo opciones, que actúan como mecanismos de suavización de la carga fiscal.

2. ¿Qué aspectos influyen en el grado de tributación de un autónomo?

Un autónomo tiene que determinar el beneficio de su actividad empresarial y ahí es donde las inversiones que realice, el tipo de contratos que establezca, la decisión sobre si actúa solo o en sociedad afectarán de una forma o de otra en el grado de su tributación.

3. ¿Las posibilidades de ahorro fiscal de un empresario de pyme son similares a las de un autónomo?

El empresario de una pequeña o mediana empresa es también un autónomo con mayor estructura, por eso tiene un abanico más amplio de decisiones para ahorrar fiscalmente.

4. ¿Practicando una economía de opción se defrauda?

La economía de opción es la capacidad del contribuyente de elegir entre los distintos caminos negociables aquel que le resulte más favorable. No se puede caer en el fraude porque buscar un ahorro tributario es legítimo y se diferencia del engaño porque su finalidad no es evitar el pago de los tributos. Además, la economía de opción se refleja en la declaración.

PISTAS AUDIO

Descargue los audios directamente desde nuestra web: **www.edelsa.es**

TEMA 1

 Implantar una empresa en España

PISTA 1

 Entrevista con el señor Elosúa

PISTA 2

TEMA 2

 Hacer una entrevista

PISTA 3

 Entrevista con el señor López-Amo

PISTA 4

TEMA 3

 Elaborar una estrategia de promoción

PISTA 5

 Entrevista con el señor Martín Sorrell

PISTA 6

TEMA 4

Gestionar la venta

PISTA 7

Entrevista con la señora Imbasterri

PISTA 8

TEMA 5

 Una feria en Chile

PISTA 9

 Entrevista con el señor Torres

PISTA 10

TEMA 6

 Cobrar un cheque

PISTA 11

 Entrevista con un responsable de "la Caixa"

PISTA 12

TEMA 7

 Visitar la Bolsa de Madrid

PISTA 13

 Entrevista con el señor López-Arcas

PISTA 14

TEMA 8

Afincar un negocio

PISTA 15

Entrevista con el señor Pont Clemente

PISTA 16

En este libro, encontrarás textos complementarios y las claves de todas las actividades de

Entorno empresarial

Primera edición: 2014

© Edelsa Grupo Didascalia, S.A. Madrid, 2014.

Autoras:	Marisa de Prada, Montserrat Bovet, Pilar Marcé.
Dirección y coordinación editorial:	Departamento de Edición de Edelsa.
Diseño de cubierta:	Departamento de Imagen de Edelsa.
Diseño y maquetación de interior:	Adrián y Ureña.
Imprime:	Egedsa.
ISBN:	978-84-7711-297-6
Depósito Legal:	M-12234-2014

Impreso en España / *Printed in Spain*

Fuentes y créditos y agradecimientos

Fotografías: Thinkstock.es

Grupo Inditex, págs. 14 y 15; Grupo Eroski, págs. 30 y 31; Paradores de España, S.A., pág. 46; Bodegas García-Carrión, págs. 62 y 63; Imaginarium, págs. 78 y 79; BBVA, págs. 94 y 95; Gowex, págs. 110 y 111; Intermon Oxfam, pág. 126; CIAT, pág. 127 y del archivo de Edelsa Grupo Didascalia, S.A.

Foto de cubierta: María José González Sánchez

CD audio: Locuciones y Montaje Sonoro ALTA FRECUENCIA MADRID
915195277 altafrecuencia.com

Voces de la locución: Juani Femenía, Arantxa Franco, José Antonio Páramo y Jaime Moreno.